Berlin Tempelhof

Liverpool Speke

Paris Le Bourget

*Dieses Buch wurde unter
der Leitung du ministère de la
Culture et de la Communication,
direction de l'Architecture
et du Patrimoine, Bureau
des Actions européennes
et internationales in Frankreich
veröffentlicht.*

*Published under the direction
of the ministère de la Culture
et de la Communication,
direction de l'Architecture
et du Patrimoine, Bureau
des Actions européennes
et internationales, France.*

*Ouvrage publié sous la direction
du ministère de la Culture
et de la Communication,
direction de l'Architecture
et du Patrimoine, Bureau
des Actions européennes
internationales, France.*

Landesdenkmalamt

ENGLISH HERITAGE

Direction régionale
des affaires culturelles
Île-de-France

Cet ouvrage a reçu le label
de la campagne du Conseil
de l'Europe « l'Europe,
un patrimoine commun ».

This publication has received
the Council of Europe's label
in its campaign "Europe,
a common heritage".

Diese Veröffentlichung hat
das Emblem des Europarats-
Kampagne „Europa,
ein gemeinsames Erbe" erhalten.

Berlin
Tempelhof

Liverpool
Speke

Paris
Le Bourget

Années 30 Architecture des aéroports
Airport Architecture of the Thirties
Flughafenarchitektur der dreißiger Jahre

Préface   Foreword   Vorwort

François Barré

*Directeur de l'Architecture
et du Patrimoine
ministère de la Culture
et de la Communication, Paris*

*Responsable du projet Raphaël
« L'Europe de l'air, architectures
de l'aéronautique »*

*Head of the Raphael project
"Europe de l'air, aviation
architecture" project*

*Verantwortlich für das Projekt
Raphael „Europe de l'air,
Architektur der Luftfahrt"*

Sir Jocelyn Stevens CVO
Chairman of English heritage

Dr. Jörg Haspel
*Landeskonservator
Landesdenkmalamt Berlin*

La maîtrise de l'air par des engins plus lourds que l'air apparaîtra sans doute comme l'une des aventures collectives les plus marquantes du siècle que nous quittons. Successivement sportive, militaire et commerciale – et internationale dès l'origine –, cette aventure du vol laisse au sol des traces étonnamment éparses et fragiles. Les lieux de l'aéronautique qui ont survécu aux destructions de la dernière guerre ont souvent été abandonnés par la suite, rendus obsolètes par l'avion à réaction et la démocratisation du voyage aérien.

Comprendre de tels lieux et les apprécier pour leur valeur historique et architecturale, voilà l'objectif du projet « L'Europe de l'air », dont ce livre est l'un des premiers fruits. Soutenue par la Commission européenne, cette action met en œuvre une collaboration, en Allemagne, en Angleterre et en France, entre les propriétaires et gestionnaires de ces ensembles aéroportuaires, des représentants des collectivités locales et des associations, des professionnels et services chargés du patrimoine. À tous ces partenaires, ainsi qu'au lecteur, nous souhaitons donc bon vol...

The mastery of flight by heavier-than-air vehicles will doubtless be seen as one of the most remarkable and characteristic collective adventures of the century we are leaving. Beginning as a sport, with military then commercial applications, this adventure was an international one from the outset. For all its importance, the physical traces its history has left on the ground are surprisingly rare and fragile. Many of the aviation infrastructures which survived destruction during the Second World War have since been abandoned, made obsolete by jets and by the development of mass air travel.

'L'Europe de l'air', a Raphael project on aviation architecture, aims at a better understanding of the evolution of aeronautical sites in general and a better appreciation of their historic and architectural interest. The present book is one of the first products to emerge from this project, which is supported by the European Commission and which brings together collaborators from England, France and Germany: the owners and managers of airport sites, representatives of local authorities and of conservation associations and professionals working in national and regional heritage organisations. To all these partners, and to the reader, we would like to say *Bon voyage*...

Die Beherrschung der Lüfte, mit Maschinen, die schwerer sind als Luft – dies wird gewiß einmal als eines der größten gemeinsamen Abenteuer des ausgehenden Jahrhunderts gelten. Das Abenteuer vom Fliegen, zunächst sportlich, dann militärisch und kommerziell und von Anfang an international, ließ am Boden erstaunlicherweise nur wenige und wenig dauerhafte Spuren zurück. Von den Stätten der Luftfahrt, die den Zerstörungen des zweiten Weltkrieges entgangen waren, wurden viele in der Folgezeit durch die technischen Anforderungen der Düsenflugzeuge und die Entwicklung des Massenflugbetriebes überholt und aufgegeben.

Solche Stätten zu begreifen und ihren historischen und architektonischen Wert zu würdigen, ist das Ziel des Projektes „L'Europe de l'air – Europa der Lüfte". Das vorliegende Buch ist ein erstes Arbeitsergebnis. Das von der Europäischen Kommission unterstützte Projekt bringt Eigentümer und Verwalter von Flughäfen, Vertreter örtlicher Einrichtungen und Vereine sowie Fachleute und Denkmalschutzbehörden aus Frankreich, England und Deutschland zusammen. Allen diesen Partnern, wie dem geneigten Leser, wünschen wir einen guten Flug...

Coordination scientifique
Scientific coordination
Wissenschaftliche Koordinierung

Paul Smith
Bernard Toulier

Photographies
Photographs
Fotografien

Philippe Ayrault
direction régionale des Affaires
culturelles d'Île-de-France,
service de l'Inventaire

Jürgen Hohmuth
Wolfgang Reuss
Landesdenkmalamt Berlin

Mike Williams
English Heritage

Auteurs
Authors
Autoren

Roger Bowdler
Historian, English Heritage

Gabi Dolff-Bonekämper
Denkmalpflegerin
Landesdenkmalamt Berlin

Bob Hawkins
Inspector of Historic Buildings,
English Heritage

Christelle Inizan
chargée d'études documentaires,
conservation régionale
des Monuments historiques
d'Île-de-France, direction de
l'Architecture et du Patrimoine

Bernard Rignault
directeur adjoint du musée de
l'Air et de l'Espace, Le Bourget

Paul Smith
historien, sous-direction des
Études, de la Documentation
et de l'Inventaire, direction de
l'Architecture et du Patrimoine

Bernard Toulier
conservateur en chef du
patrimoine, sous-direction des
Études, de la Documentation
et de l'Inventaire, direction de
l'Architecture et du Patrimoine

Remerciements
Acknowledgements
Unser Dank gilt

Bernd Albers
Xavier Barral
Corinne Bélier
Philip Butler
Clotilde Cucchi
Christina Czymay
Véronique Dez
Axel Drieschner
Danièle Duclos-Faure
Marie-Jeanne Dumont
Klaus Eisermann
Wilhelm Fuchs
Claude Gentiletti
Florian Goutagneux
Rob Green
Anne-Sophie Grouhel
Manfred Heckel
Dominique Hervier
Werner Jockeit
George Jones
Ute Kalauch
John King
Marieke Kuipers
Friedemann Kunst
Jeremy Lake
Stephen Levrant
Isabelle Longuet
Michael Mende
Dieter Nickel
David Peyceré
Manfred Sinz
Don Stephens
Rainer Ullmann
Bernard Warinsko

Sommaire   Contents   Inhalt

10   **Introduction**
*Paul Smith avec la collaboration
de Bernard Toulier*

30   **Berlin-Tempelhof**
Gabi Dolff-Bonekämper

63   **Liverpool-Speke**
Roger Bowdler

91   **Paris-Le Bourget**
*Christelle Inizan
avec la collaboration
de Bernard Rignault*

Annexes

122   Bibliographie et sources

123   Adresses utiles

124   Le projet « Europe de l'air »

Introduction
*Paul Smith with the collaboration
of Bernard Toulier*

Berlin-Tempelhof
Gabi Dolff-Bonekämper

Liverpool-Speke
Roger Bowdler

Paris-Le Bourget
*Christelle Inizan
with the collaboration
of Bernard Rignault*

Annexes

Bibliography and sources

Useful addresses

The *"Europe de l'air"* project

Einführung
*Paul Smith in Zusammenarbeit
mit Bernard Toulier*

Berlin-Tempelhof
Gabi Dolff-Bonekämper

Liverpool-Speke
Roger Bowdler

Paris-Le Bourget
*Christelle Inizan in
Zusammenarbeit mit
Bernard Rignault*

Anlagen

Bibliographie und Quellen

Nützliche Adressen

Das projekt „*Europe de l'air*"

« Le port aérien du Bourget à l'heure du départ des grandes lignes ». À gauche, au premier plan, une « berline particulière » appareille pour Amsterdam ; au-delà, deux avions postaux et un Paris-Londres ; à droite, des passagers montent dans un second avion Paris-Londres ; en l'air, un Farman Goliath Paris-Bruxelles prend le départ ; à l'horizon, vers Dugny, les hangars de la base militaire. Photo J. Clair-Guyot, *L'Illustration*, 10 septembre 1921.

"The Air Port at Le Bourget, international departures in the middle of the day". On the left, a private 'saloon air-liner' loading for Amsterdam, with two couriers and a Paris-London behind it; to the right, passengers boarding a second Paris-London plane ; in the air, a Farman Goliath headed for Brussels; in the distance, the hangars of the military airfield. Photo published by the fortnightly review *L'Illustration* in September 1921.

„Der Luft-Hafen von Le Bourget, internationale Abflüge". Links im Vordergund, ein Privatflugzeug vor seinem Abflug nach Amsterdam. Dahinter zwei Postflugzeuge und ein Paris-London. Auf der rechten Seite besteigen Fluggäste ein zweites Flugzeug Paris-London. In der Luft sieht man eine Farman-Goliath auf dem Weg nach Brüssel und im Hintergrund erkennt man die Hangars des Militärgeländes von Dugny. Foto J. Clair-Guyot, *L'Illustration*, 10. September 1921.

Introduction

La guerre de 1914-1918 a donné aux deux nouveaux moyens de transport aérien et terrestre que sont l'aviation et la locomotion automobile une dimension plus utilitaire. Depuis les premiers vols motorisés – les frères Wright en 1903 sur les dunes de Kitty Hawk en Caroline du Nord et, près de Paris, Alberto Santos-Dumont en 1906 sur la pelouse de Bagatelle, Henry Farman au champ de manœuvres d'Issy-les-Moulineaux en 1908… –, les machines volantes « plus lourdes que l'air » ont accompli des progrès décisifs dans la conquête du ciel et dans le domaine du toujours plus : plus haut, plus vite, plus loin.

La Manche est franchie par Louis Blériot en 1909, la Méditerranée par Roland Garros en 1913.

Cette quête d'exploits et de records se joue encore dans un milieu restreint d'inventeurs et d'amateurs passionnés, de mécènes du beau monde et de pilotes à tout faire, intrépides, voire illuminés, et souvent fortunés. Meetings, circuits, « grandes semaines » et « grandes quinzaines » : l'aviation de la Belle Époque est surtout un spectacle, proche de la fête foraine, de l'attraction balnéaire ou du cirque. Suivis par d'autres pionniers (et brevets en poche), les frères Wright font des tournées de démonstration en France, en Allemagne et en Italie.

Les lieux investis par cette aviation en herbe ne sont jamais que des champs, des terrains plats et dégagés, disputés aux promenades dominicales

For aviation, as for motor transport on the ground, the First World War was a period of rapid development. Since the first heavier-than-air flights of the early years of the twentieth century–the Wright brothers' 1903 flight over the dunes of Kitty Hawk, that of Alberto Santos-Dumont on the lawns of Bagatelle, near Paris in 1906, and Henry Farman's first one-kilometre circuit at Issy-les-Moulineaux, also near Paris, in 1908–aviators had made tremendous progress in mastering the air, flying ever faster, higher and further. Louis Blériot had crossed the Channel in 1909 and by 1913 Roland Garros had flown over the Mediterranean.

But such exploits remained pastimes for relatively limited circles of wealthy enthusiasts: inventors, aristocratic patrons and daring young pilots. Before 1914 aviation was not a serious commercial proposition, but rather a succession of meetings, competitions and exhibitions, spectacular air shows with a circus-like atmosphere and big prize money. The Wright brothers, hoping to exploit their patents, travelled to France, Germany and Italy to give display flights.

The locations for these pioneering events were little more than grassy fields, unobstructed flat surfaces hitherto used for recreational purposes at the weekend or for military training and parades. In England, the first air shows took place at Brooklands in Surrey, next to the motor-racing circuit built in 1907. These primitive flying fields were generally situated on the outskirts of cities, close not only to potential investors and clients but also to the skilled workers, the journalists and the photographers. Aviation was a crowd-puller, attracting huge numbers of spectators to watch men in flying machines (with a fair chance of seeing a crash). At the margins of the fields were erected the first makeshift sheds and hangars, occupied by mechanics and flying club members, there to record the events and award the prizes. The only other structures were those put up for the spectators. At Johannisthal near Berlin in 1909, or at 'Port-Aviation' founded in 1908 twelve miles south of Paris by the Seine, these structures were timber grandstands, modelled on those built at racecourses. Bars, restaurants and fields for parking motor-cars completed these early ensembles.

Une des premières photos prises depuis un avion montre le champ de manœuvres militaires d'Issy-les-Moulineaux, près de Paris, utilisé comme champ d'aviation à partir de 1906. La foule assiste au départ du Circuit de l'Est, randonnée aéronautique de huit cents kilomètres organisée par *Le Matin* ; carte postale, août 1910.

An early aerial photo showing the military parade ground at Issy-les-Moulineaux, a suburb to the west of Paris, used as a flying field from 1906. The crowd is there to see the departure of the Circuit de l'Est, an 800-kilometre air rally organised by the daily newspaper *Le Matin*. Postcard, August 1910.

Frühe Luftaufnahme von dem Manöverfeld in Issy-les-Moulineaux, einem Vorort westlich von Paris, das seit 1906 als Flugfeld benutzt wurde. Eine Menschenmenge hat sich versammelt, um dem Start des Circuit de l'Est beizuwohnen, einer 800 km langen, von der Tageszeitung *Le Matin* organisierten Flugrallye, Postkarte, August 1910.

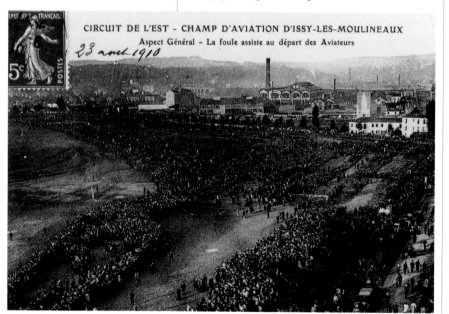

CIRCUIT DE L'EST - CHAMP D'AVIATION D'ISSY-LES-MOULINEAUX
Aspect Général - La foule assiste au départ des Aviateurs

Einfürung

Seit den ersten Motorflügen – die Brüder Wright 1903 über den Dünen von Kitty Hawk in Nord-Carolina, Alberto Santos-Dumont 1906 auf dem Rasen von Bagatelle bei Paris sowie Henry Farman auf dem Manövergelände von Issy-les-Moulineaux im Jahre 1908 – haben die fliegenden Maschinen, die „schwerer als die Luft" sind, große Fortschritte in der Eroberung des Himmels gemacht, stets dem Leitspruch der Flieger folgend: immer höher, schneller, weiter. 1909 überfliegt Louis Blériot den Ärmelkanal und Roland Garros 1913 das Mittelmeer.

Dieses Streben nach großen Taten und Rekorden beschränkt sich jedoch weithin auf die Kreise der leidenschaftlichen Erfinder und Amateure, der reichen Mäzene und der kühnen, häufig wohlhabenden Piloten. Meetings, Rundreisen, ein- oder zweiwöchige Veranstaltungen: Die Luftfahrt der „Belle Epoque" ist in erster Linie ein Schauspiel, die Atmosphäre vergleichbar mit einem Jahrmarkt oder einem Zirkus. Gefolgt von anderen Pionieren (alle mit ihren Patenten für die von ihnen erfundenen Flugmaschinen in der Tasche), unternehmen die Brüder Wright Schautourneen in Frankreich, Deutschland und Italien.

Die Orte, die von den ersten Fliegern genutzt werden, sind Wiesen, flaches freies Gelände, das man den Sonntagsspaziergängern oder den militärischen Aufmärschen streitig macht. In England finden ab 1909 die ersten Flugschauen in Brooklands unweit der 1907 gebauten Rennstrecke statt. Man bleibt in der Nähe der Städte, in denen sich Kapital und Kunden, Werkstätten und Fachkräfte, Journalisten und Fotografen konzentrieren. Die Veranstaltungen erweisen sich als zugkräftige Publikumsmagneten und gewinnen durch das allgegenwärtige Unfallrisiko noch zusätzlich an Spannung. Neben den behelfsmäßig errichteten Werkstatthangars, in denen sich die Mechaniker und Clubmitglieder drängen, werden gelegentlich provisorische Bauten für die Zuschauer errichtet. In Johannisthal südöstlich von Berlin und in Port-Aviation, etwa zwanzig Kilometer südlich von Paris an den Ufern der Seine, entstehen 1909 bzw. 1908 von den Pferderennbahnen übernommene Holztribünen, von Bars, Restaurants und Automobilparkplätzen umlagert.

Envol d'un biplan des frères Wright sur le terrain de Pont-Long, près de Pau, en 1909, par Jean Béraud, peintre de la Belle Époque. L'école créée à Pau par Wilbur Wright reçut la visite du roi Alphonse XIII d'Espagne, du roi Édouard VII d'Angleterre et forma les pilotes Lucas de Girardville, le comte de Lambert et Paul Tissandier.

A Wright brothers' 'Flyer' at the Pont-Long flying field near Pau, as seen by the society painter Jean Béraud in 1909. This school at Pau, with Wilbur Wright as monitor, was visited by Kings Alfonso XIII of Spain and Edward VII of England. It also trained the French pilots Lucas de Girardville, the Comte de Lambert and Paul Tissandier.

Abflug des Doppeldeckers der Gebrüder Wright vom Flugfeld Pont-Long bei Pau, Gemälde von Jean Béraud, Maler der Belle Epoque, 1909. Die von Wilbur Wright gegründete Flugschule in Pau wurde von König Alfonso XIII. von Spanien und König Edward VII. von England besucht. Hier wurden Piloten wie Lucas de Girardville, der Comte de Lambert und Paul Tissandier ausgebildet.

Un avion des frères Wright devant son hangar sur le terrain de Pont-Long, 1909.

On the Pont-Long field in 1909, a Wright brothers' plane in front of its hangar.

Ein Flugzeug der Gebrüder Wright vor seinem Hangar auf dem Flugfeld von Pont-Long, 1909.

Spectateurs assistant à une manifestation aérienne à Brooklands (Surrey, Angleterre), vers 1910.

Spectators at an early air display, probably in 1910, organised at Brooklands, near Weybridge, Surrey.

Zuschauer bei einer Flugschau in Brooklands (Surrey, England), um 1910.

War in the air

The Great War completely transformed aviation. In August 1914 the warring nations possessed about 700 aircraft ready for battle. At the Armistice of November 1918 this figure had risen to 16,000, with many more in reserve or under construction. Above the trenches, the war in the air–fighter combats, bomber attacks, range and direction finding for artillery fire, observation and aerial photography–although seen primarily as missions of tactical support, offered a vision of the strategic potential of air power. On the ground, the four years of conflict took aeroplane construction from its craft era into one of mass production, with factories springing up everywhere for aircraft manufacture and engine production. The war effort also demanded the rapid training of large numbers of pilots and ground crews and scattered hundreds of military airfields behind the lines.

These were still grass fields, necessarily flat and preferably well-drained, and large enough to allow aircraft to take off into the wind from any direction. Typically, at the edge of a flying field, close to an access road, there would be a row of tent-like aircraft hangars and huts for the men, temporary structures of standardised wooden construction. On a few training fields at a distance from the fighting, some hangars were constructed in reinforced concrete, this new material allowing spacious column-free interiors. Concrete was also used to build some isolated airship hangars, although the vulnerable lighter-than-air craft were largely restricted to coastal surveillance by the end of the war.

The beginning of commercial aviation

Immediately after the war it was on military airfields such as these that commercial aviation–the transport of paying passengers in converted bombers–was born. From the spring of 1919 both national and international air routes were simultaneously pioneered across Europe: Berlin-Weimar in February 1919, then Berlin-Hamburg and Berlin-Munich; also in the same year, Paris-Bordeaux, Paris-Strasbourg, Paris-Brussels, Toulouse-Casablanca… The Paris-London route rapidly became the world's busiest, with up to six departures a day by 1921 (four French and two English). The French Farman-Goliath planes could carry a dozen passengers.

ou aux manœuvres militaires. En Angleterre, dès 1909, les premières manifestations aériennes s'organisent à Brooklands, près de la piste automobile construite en 1907. À faible distance des grandes villes, où se concentrent capitaux et clients, ateliers et savoir-faire, journalistes « sportifs » et photographes, ces champs rassemblent d'immenses foules de curieux ; l'attraction du jour – des hommes qui volent – est pimentée par le risque de l'accident.
Aux ateliers-hangars de fortune, peuplés de mécaniciens et de clubmen homologueurs, qui jalonnent la lisière de ces champs, s'ajoutent parfois d'éphémères installations destinées aux spectateurs. À Johannisthal, au sud-est de Berlin, en 1909, ou à Port-Aviation, créé en 1908 sur les bords de la Seine à une vingtaine de kilomètres au sud de Paris, ces structures sont des tribunes en bois, copiées sur celles des hippodromes et entourées de bars, de buffets, de restaurants et de « parcs d'automobiles ».

L'aviation en guerre

La Grande Guerre va transformer radicalement les usages de l'aviation, et démultiplier ses effectifs. Des quelque 700 avions alignés par les belligérants en août 1914, on passe à 16 000 au moment de l'armistice, sans compter les nombreux appareils en construction. Au-dessus

Die Luftfahrt im Ersten Weltkrieg

Der Erste Weltkrieg verändert die Nutzung der Luftfahrt radikal und vervielfacht die Anzahl von Maschinen und Piloten. Im August 1914 verfügen die Kriegsparteien über etwa 700 Flugzeuge. Bis zur Unterzeichnung des Waffenstillstands im November 1918 steigt die Zahl auf 16 000, die noch im Bau befindlichen Flugzeuge nicht mitgerechnet. Die über den Köpfen der Bodentruppen ausgetragenen Einsätze der militärischen Luftfahrt – das waren Gefechte zwischen feindlichen Jägern, Bombardierung der feindlichen Stellungen, Beobachtungen, Artillerieregulierungen und Luftaufnahmen – übernehmen eine wichtige taktische Funktion im Kriegsgeschehen. Eine Kontrolle von Kriegsschauplätzen und eine Eroberung aus der Luft werden vorstellbar. Der Krieg löst den Übergang des Flugzeugbaus vom Luxushandwerk zur Massenproduktion aus, überall entstehen große Flugzeug- und Motorenfabriken. Tausende Piloten und Mechaniker werden eilig ausgebildet und hunderte von Stützpunkten mit Flugfeldern entstehen hinter den Linien.

Es handelt sich dabei stets um möglichst ebene Grasflächen, groß genug, damit die Flugzeuge in alle Richtungen gegen den Wind abheben können. In der Nähe der Zufahrtsstraße säumt eine Reihe von Stoffhangars und Baracken das Gelände, zerlegbare Unterstände aus genormten Holzkonstruktionen. Weit von der Front entfernt, und damit weniger gefährdet, werden auf einigen wenigen Übungsgeländen großräumige Hangars aus Stahlbeton errichtet. Stahlbeton wird auch für die großen Hangars der Zeppeline verwendet. Der Einsatz dieser empfindlichen Luftschiffe, die „leichter als Luft" sind, ist gegen Kriegsende weitgehend auf die Überwachung der Küsten beschränkt.

Die Anfänge der kommerziellen Luftfahrt

Auf diesen vormals militärischen Stützpunkten beginnt nach Ende des Krieges die kommerzielle Luftfahrt, der Transport von zahlenden Passagieren in umgebauten Bombern. Quer über den alten Kontinent werden vom Frühjahr 1919 an gleichzeitig nationale und internationale Flugstrecken eingeweiht: Berlin-Weimar ab Februar 1919, dann Berlin-Hamburg und Berlin-München, Paris-Bordeaux, Paris-Straßburg, Paris-Brüssel, Toulouse-Casablanca… Die Linie

Paris-London, von Anfang an die am meisten gefragte Strecke der Welt, bietet 1921 sechs Flüge pro Tag, vier französische und zwei englische. Die französischen Farman-Goliath-Flugzeuge können etwa zwölf Passagiere transportieren.

Der exponentiale Anstieg des Luftverkehrs führt auch zum Bau neuer Hangars, die sich zu den noch aus Kriegszeiten übriggebliebenen gesellen, oder diese ersetzen. Nach dem Ende der kriegsbedingten Materialbeschränkungen setzt man neben Stahlbeton erneut Metallkonstruktionen für die schnelle und preiswerte Errichtung von großflächigen Flugzeughallen ein. Zur gleichen Zeit entsteht auch der Bedarf nach einem höher gelegenen Standpunkt – Ausguck, Kontrollturm…–, um die Bewegungen der Flugzeuge in der Luft und auf dem Gelände zu überwachen. Die anfänglich nur visuelle Kontrolle findet bald per Funk statt. Das planierte und entwässerte Gelände muß instand gehalten und von weitem sichtbar gemacht werden. Die Leuchtmarkierung für Nachtflüge wird bereits Mitte der 20er Jahre eingeführt. Die Stellplätze der Flugzeuge, die auch zur Aufnahme von Passagieren, Post und Fracht benutzt werden, erhalten einen festen Boden aus Bitumen oder Zement.

1. La tribune d'honneur de Port-Aviation, à Juvisy, conçue en 1908 par Guillaume Tronchet, s'inspire de celle d'un hippodrome.

The grandstand at Port-Aviation, Juvisy—designed in 1908 by the architect Guillaume Tronchet—is clearly of racecourse inspiration.

Die Ehrentribüne von Port-Aviation in Juvisy, 1908 von Guillaume Tronchet entworfen, erinnert eindeutig an die Tribüne einer Pferderennbahn.

2. Louis Blériot vole à Johannisthal, terrain d'aviation au sud-est de Berlin, lors d'un meeting aérien en septembre 1909, deux mois après sa traversée de la Manche.

The French pilot Louis Blériot in the air at an aviation meeting held in September 1909 at the Johannisthal flying field, to the south-east of Berlin, two months after his flight over the English Channel.

Der französische Pilot Louis Blériot bei einer Flugschau im September 1909 in Johannisthal, einem Fluggelände im Südosten von Berlin, zwei Monate nach seiner Überquerung des Ärmelkanals.

1. Mai 1916 : magasin de moteurs d'aviation dans les usines Renault de Billancourt. À cette époque, celles-ci assuraient, outre la production de bien d'autres matériels de guerre, la fabrication de vingt-cinq moteurs d'avions par jour.

May 1916: aircraft engines at Renault's Billancourt factory in the suburbs to the west of Paris. At this date, and along with many other products for the war effort, Renault was turning out twenty-five such engines every day.

Mai 1916: Flugzeugmotoren im Renault-Werk von Billancourt, einem Vorort westlich von Paris. Zu dieser Zeit produzierte Renault neben zahlreichem anderen Rüstungsmaterial auch fünfundzwanzig solcher Motoren pro Tag.

2. Avions de chasse alignés sur le champ d'aviation de Melette (Marne), mars 1918.

Fighters on the military airfield at Melette, in the Marne department, to the north-west of France, March 1918.

Jagdflugzeuge auf dem Flugfeld von Melette, im Departement Marne, im Nordwesten von Frankreich, März 1918.

des poilus, les missions de cette aviation militaire – joutes de « chasseurs », bombardement des positions ennemies, observations, réglages d'artillerie et photographies aériennes – jouent un rôle d'appoint tactique, rarement décisif, sinon pour faire naître un nouveau rêve de conquête par l'air. Au sol, le conflit va tirer la fabrication d'aéroplanes de l'artisanat de luxe vers la production de masse, suscitant partout la création de grandes usines de construction aéronautique ou de fabrication de moteurs. Des milliers de pilotes et de mécaniciens sont formés à la hâte et des bases aériennes parsèment par centaines les territoires situés derrière les lignes.

Il s'agit toujours de plateaux herbeux, assez étendus pour que les avions puissent décoller dans toutes les directions, face au vent, et bordés, côté route, par des alignements de hangars de toile et de baraquements, abris démontables à charpentes standardisées en bois. Sur des terrains d'entraînement éloignés du front, moins exposés, des hangars de grande portée sont construits en

béton armé, employé également pour quelques vastes hangars isolés destinés aux dirigeables : ces aéronefs, les « plus légers que l'air », plus vulnérables, servent essentiellement, vers la fin de la guerre, à la surveillance côtière.

Les débuts de l'aviation commerciale

C'est sur de telles bases que, la paix revenue, l'aviation commerciale va prendre son départ en utilisant des bombardiers reconvertis dans le transport des passagers. À travers le vieux continent, routes aériennes nationales et internationales sont inaugurées simultanément, à partir du printemps 1919 : Berlin-Weimar dès février 1919, puis Berlin-Hambourg et Berlin-Munich, Paris-Bordeaux, Paris-Strasbourg, Paris-Bruxelles, Toulouse-Casablanca... Sur la ligne Paris-Londres, d'emblée la plus fréquentée du monde, il y aura en 1921 six départs par jour, quatre français et deux anglais. Les avions français Farman-Goliath transportent une douzaine de passagers.

L'accroissement exponentiel du trafic entraîne la multiplication des hangars qui jouxtent ou remplacent ceux hérités du conflit. Les restrictions de la guerre oubliées, les charpentes métalliques se déploient de nouveau, concurrençant le béton armé pour la réalisation rapide et économique d'abris de grande portée. Se fait jour aussi le besoin d'un point surélevé – poste de vigie, tour de guet... – pour la surveillance des mouvements des avions en l'air et sur le terrain ; le contrôle, d'abord visuel, se fait bientôt par radio. Le terrain, nivelé et drainé, doit être entretenu et signalé pour être visible de loin ; le marquage lumineux et les vols de nuit apparaissent dès le milieu des années vingt. Les seules surfaces en dur sont les aires de stationnement des avions, servant à l'embarquement et au débarquement des passagers, et à la manutention des colis ou du courrier.

Pour les passagers – gens hardis et pressés, hommes d'affaires, hommes politiques, journalistes –, il faudra rapidement aménager des locaux séparés des réservoirs d'essence, des ateliers, des hangars et des avions. Il faut réserver des aires de stationnement pour les voitures particulières, les taxis et les cars. Des locaux sont à prévoir pour le contrôle des billets et des papiers, pour l'inspection douanière et la manutention des bagages ; pour les attentes

« L'accident du capitaine Leblanc » : atterrissage brutal pendant la Première Guerre mondiale.

"Captain Leblanc's accident", a crash landing during the First World War.

„Der Unfall des Capitaine Leblanc": Bruchlandung während des Ersten Weltkriegs.

For these first passengers–people in a hurry such as businessmen, politicians or journalists–it was soon necessary to provide at least basic ground facilities, set at some distance from fuel depots and hangars. As air traffic increased, so did the number of new hangars, adding to or replacing military structures. With the end of war-time restrictions on the use of iron and steel, metal-framed construction provided an alternative to reinforced concrete for the rapid and economical provision of hangar space. A means of regulating air traffic from a 'nerve-centre', a tower or look-out position, also became a necessity. The control of the movements of aircraft approaching the field or on the ground was assisted by beacons and soon by wireless. The flying field itself required careful maintenance to provide a level and well-drained platform, clearly marked out and named so as to be visible and identifiable from afar. Ground lighting for night flights developed from the mid-1920s. Only a small section of the field, the apron, used for loading and unloading passengers, luggage and mail, had a hard surface in concrete or tarmac at this time.

For the passengers, the requirements included parking space for the vehicles ferrying them to and from the airfield. Premises were needed for ticket and passport inspection, for baggage-handling and customs checks, and for waiting: bars, restaurants, waiting-rooms and even hotels. Delays, caused by technical problems or adverse weather conditions, meant that waiting was an integral part of air travel from the outset. These passenger-processing functions were not entirely new, already accommodated by the existing means of maritime and rail transport from which the new places took their names. The 'air-ports' and 'air-stations' also had to provide for large numbers of non-flying, sight-seeing visitors, still a significant requirement in the 1960s.

The first airports in Europe

One of the earliest examples of such airport ensembles was designed in 1920 for the wartime flying base of Dugny-Le Bourget, a few miles north

Für die ersten Passagiere – mutige Menschen in Eile, wie Geschäftsleute, Politiker, Journalisten – müssen bald Räumlichkeiten abseits der Treibstoffbehälter, Werkstätten, Hangars und Flugzeuge eingerichtet werden. Man benötigt Parkplätze für Privatfahrzeuge, Taxis und Busse. Auch die Kontrolle der Flugtickets, der Zoll und die Gepäckverladung müssen untergebracht werden. Für eventuelle Wartezeiten braucht man Bars, Restaurants und Wartesäle, ja sogar Hotels, denn widrige Wetterbedingungen und Schäden an den Maschinen führen häufig zu Verspätungen, Wartezeiten sind an der Tagesordnung. Jene Funktionen sind an sich nicht neu, denn sie sind bereits von den vorher bestehenden Langstreckentransportmitteln bekannt, den Seehäfen und Bahnhöfen. Zu guter Letzt gilt es auch, an die „nicht-fliegenden" Benutzer zu denken, die kommen, um das Schauspiel zu bewundern, ohne ein Flugzeug zu besteigen.

Die ersten Flughäfen

1924 werden auf dem Militärgelände von Dugny-Le Bourget zehn Kilometer nördlich von Paris die seit 1920 geplanten Empfangsgebäude eröffnet. Sie grenzen an eine Reihe von fünf Hangars in Stahlbetonskelettbauweise aus dem Jahre 1922, die an die Fluggesellschaften vermietet werden. Der Flughafen Le Bourget besteht also zunächst aus mehreren einzeln stehenden Pavillons, jeder einem bestimmten Zweck gewidmet: Direktion mit Büros und Wartesaal, Büros des Flughafenkommandanten, sein Wohnhaus, Krankenstation, Wetterdienst und Funk, Zoll, Bar-Restaurant. Die Pavillons von Le Bourget gehören zu den allerersten Flughafengebäuden, die als solche konzipiert wurden. Sie veralten jedoch rasch. Schon nach zehn Jahren ist klar, wie wenig angemessen die um einen französischen Garten gruppierten Gebäude für den ständig wachsenden Flugverkehr sind.

Tatsächlich führt der gleiche Bedarf auf den „fliegenden Kontinenten", Europa und Amerika, auch zu den gleichen, anfangs typologisch noch nicht verfestigten Lösungen. Der Bau von Flughä-

Le Bourget, un jour d'été : un bombardier Farman Goliath reconverti en avion de ligne. Dessin de Marcel Jeanjean, *L'Illustration*, 13 décembre 1924.

Le Bourget on a summer's day: a Farman Goliath bomber converted for passenger use. Drawing by Marcel Jeanjean published by *L'Illustration* in December 1924.

Le Bourget, ein Sommertag: ein Farman-Goliath-Bomber wird in ein Passagierflugzeug umgebaut. Zeichnung von Marcel Jeanjean, *L'Illustration*, 13. Dezember 1924.

éventuelles, il faut également penser aux bars, aux buffets, aux salles d'attente, voire à des hôtels. Assujettis aux aléas techniques et météorologiques, les vols sont souvent retardés et les temps morts déjà endémiques. En elles-mêmes, ces fonctions n'ont rien d'inédit, car elles sont intégrées déjà par les moyens de transport antérieurs auxquels ces nouveaux lieux empruntent leurs dénominations : « ports aériens », « aéro-ports », « aéro-gares ». Il faut enfin prendre en compte les usagers non volants, ces foules qui reprennent le chemin du spectacle aérien sans prendre l'avion.

Les premiers ports aériens

Étudié dès 1920, le port aérien ouvert en 1924 sur la base militaire de Dugny-Le Bourget, à dix kilomètres au nord de Paris, comprend cinq hangars en béton armé, réalisés en 1922 pour être loués aux compagnies. L'aérogare proprement dite, jouxtant les hangars, est une collection de pavillons aux fonctions particulières : la direction, avec bureaux et salle d'attente ; les bureaux du commandant du port ; sa maison d'habitation ; une infirmerie ; les services météorologiques et de TSF ; la douane ; un bar-restaurant. Ces bâtiments sont parmi les tout premiers édifices aéroportuaires du monde effectivement conçus comme tels. Leur obsolescence rapide – moins de dix ans suffiront pour faire l'embarrassante démonstration de leur inadéquation à un trafic en progression ininterrompue – marque à elle seule le caractère précurseur de ces pavillons, disposés autour d'un jardin à la française.

of Paris. The buildings were sited around a small formal garden next to a range of concrete hangars, which were built at the same time to be hired out to the airline companies and each large enough for six commercial aircraft. The air terminal itself was made up of a rather motley group of pavilions, each with a specific function: administrative offices with waiting-rooms for visitors and passengers, offices and a house for the airport commander, medical facilities for the pilots, meteorological and wireless services, customs and a restaurant. These modest buildings at Le Bourget are often cited as the first purpose-built airport structures. Their rapid obsolescence–within ten years, their inadequacies were embarrassingly evident–identifies them as emblematic precursors in airport history.

Across the flying continents of Europe and North America, the same general requirements for air travellers gave rise everywhere, and more or less at the same time, to similar building types, often uncertain as to their architectural identity. For capital cities the airport was an indicator of national prestige, and construction was funded by governments, under the supervision of the air ministries being created at this time. The running costs of the national 'flag-carrying' airline companies, also established during the 1920s, were likewise funded from the public purse.

London's first airport was a former Royal Air Force base at Croydon, twelve miles south of the capital. Opened in 1920, it became the home of Imperial Airways, founded in 1924. In the same year, architects at the Air Ministry designed a vast airport building that was officially opened in 1928. Fortress-like in appearance, it was one of the first to combine the air terminal and the control tower. The landside elevation of this building was criticised for looking like a railway terminus. At Amsterdam, evolving as an important centre for continental stop-overs and transfers, Schipol airport, the base of the Dutch airline KLM, was also opened in 1920. Its first terminal building was completed in 1926. The influence of railway architecture is here apparent in the asymmetrically-placed control tower, resembling a modern signal box. In Berlin the aeronautical capital of Germany and home of the Luft-Hansa company formed in 1926, the Tempelhof field was used from 1922, equipped first with a hangar-cum-workshop building and then, from 1926 to 1929, with its first air terminal building.

Croydon, aéroport de Londres, et sa tour de contrôle carrée en 1934. Le courrier à destination de Belfast et de Glasgow est chargé dans un De Havilland D.H. 86 de Railway Air Services. Au fond, derrière la camionnette de la poste, l'hôtel de l'aéroport, ouvert en 1928 comme l'aérogare conçue par le service des Travaux et des Bâtiments neufs du ministère de l'Air (dirigé par Sir William A. Liddell).

London's airport at Croydon and its central control tower. This 1934 photo shows mail for Belfast and Glasgow being loaded onto a De Havilland D.H. 86 of Railway Air Services. At the edge of the field (behind the Post Office van), the Aerodrome Hotel. The terminal, designed by the Air Ministry's Department of Works and New Buildings under the direction of Sir William A. Liddell, was officially opened on 2 May 1928.

Croydon, der Londoner Flughafen und sein quadratischer Kontrollturm,1934. Die Post nach Belfast und Glasgow wird in eine De Havilland D.H.86 der Railway Air Services geladen. Im Hintergrund, hinter dem Postwagen, befindet sich das 1928 eröffnete Flughafenhotel. Das Empfangsgebäude wurde von der Abteilung für Bauarbeiten und Neubauten des Luftfahrtministeriums unter der Leitung von Sir William A. Liddell entworfen.

Aéroport international de Schipol en 1928 : l'aérogare, avec sa tour de contrôle de style « moderneferroviaire », conçue par Dirk Roosenburg en collaboration avec le département des Travaux publics de la Ville d'Amsterdam.

Schipol international airport in 1928: the terminal, with its signal-box-like control tower, designed by the architect Dirk Roosenburg in collaboration with Amsterdam's Department of Public Works.

Der internationale Flughafen Schipol im Jahre 1928: Das Empfangsgebäude mit seinem einem Stellwerk ähnelnden Kontrollturm wurde von Dirk Roosenburg in Zusammenarbeit mit der Abteilung für Bauarbeiten der Stadt Amsterdam entworfen.

fen für die Hauptstädte ist eine Staatsangelegenheit, finanziert von den Luftfahrtministerien, die zu dieser Zeit eingerichtet werden. Die nationalen Fluggesellschaften, in den 20er Jahren durch das Zusammenlegen der zahlreichen Pioniergesellschaften gegründet, werden ebenfalls durch große Betriebszuschüsse subventioniert.

Londons erster Flughafen wird 1920 auf einem ehemaligen Stützpunkt der Royal Air Force in Croydon, zwanzig Kilometer südlich der Hauptstadt eröffnet und wird später zum Heimatflughafen der 1924 gegründeten Imperial Airways. Im selben Jahr entwerfen die Architekten des Luftfahrtministeriums einen Neubau, der im Mai 1928 eingeweiht wird. Es ist eines der ersten Projekte, die das Empfangsgebäude mit einem Kontrollturm verbinden, wobei der Turm nach dem Bild einer Wehrarchitektur konzipiert ist. Die Fassade der Stadtseite wird von der Kritik aufgrund ihrer als unpassend empfundenen Ähnlichkeit mit einem Bahnhof negativ aufgenommen. Der Flughafen Schipol in Amsterdam, wichtige Zwischenstop- und Umsteigzentrale, die auch der KLM als Basis dient, wird ebenfalls im Jahr 1920 eröffnet. Das erste Flughafengebäude wird 1929 eingeweiht. Hier ähnelt der Kontrollturm, der an einem Ende des Gebäudes errichtet wird, einem Stellwerk. In Berlin, Luftfahrthauptstadt Deutschlands und Sitz der 1926 gegründeten Luft-Hansa, wird seit 1922 das Gelände von Tempelhof genutzt. Es wird zunächst mit einigen Hangars und Werkstätten und dann, von 1926 bis 1929, mit einem ersten Terminal ausgestattet.

1

1. Terrasses publiques de l'aérogare de Hambourg, à Fuhlsbüttel. Construite par Friedrich Dyrssen et Peter Averhoff en 1928, elle servit de modèle à celle de Liverpool-Speke. *Encyclopédie de l'Architecture, Transports en commun, Aéroports*, Paris, Éditions Albert Morancé, Paris, s. d., vers 1938.

Viewing terraces at Fuhlsbüttel, Hamburg's airport. This terminal, designed by Friedrich Dyrssen and Peter Averhoff, and opened in 1928, was the model for Liverpool's airport at Speke.

Aussichtsterrassen des Empfangsgebäudes von Hamburg-Fuhlsbüttel. Von Friedrich Dyrssen und Peter Averhoff entworfen und 1928 eröffnet, lieferte es das Modell für den Flughafen Liverpool-Speke.

2. Fuhlsbüttel, Hambourg : plan d'ensemble de l'aéroport. D'après John Walter Wood, *Airports, some elements of design and future development,* New York, Coward-McCann Inc., 1940, planche 39.

Fuhlsbüttel, Hamburg: general plan of the airport.

Fuhlsbüttel, Hamburg: Gesamtplan des Flughafens.

L'aérogare de Lyon-Bron, conçue pour la Chambre de commerce de Lyon par Antonin Chomel et Pierre Verrier, et inaugurée en décembre 1930. Le bâtiment avance vers le terrain, mené par la tour de contrôle centrale, et l'heure locale.

Bron airport at Lyons: terminal building designed by the architects Antonin Chomel and Pierre Verrier for the Lyons Chamber of Commerce and opened in December 1930. The terminal building advances towards the flying field, led by the central control tower, and the clock displaying local time.

Das Empfangsgebäude von Lyon-Bron, von Antonin Chomel und Pierre Verrier für die Handelskammer der Stadt Lyon entworfen, wurde im Dezember 1930 eröffnet. Das Gebäude ragt mit seinem zentralen Kontrollturm und der örtlichen Zeitangabe in das Vorfeld hinein.

En réalité, à travers les « continents volants », l'Europe et l'Amérique du Nord, les mêmes besoins génèrent partout, et sensiblement en même temps, des réponses similaires, tout aussi tâtonnantes. La construction des aéroports desservant les capitales est une affaire d'État, financée par les ministères de l'Air qui se constituent alors. Les compagnies aériennes nationales, créées au cours des années vingt par remembrement des nombreuses compagnies pionnières, fonctionnent également grâce à d'importantes subventions d'exploitation.

Quittant une base de la Royal Air Force à Hounslow pour une autre, située à Croydon, à une vingtaine de kilomètres au sud de la capitale, l'aéroport de Londres est ouvert en 1920 et devient le port d'attache d'Imperial Airways, une compagnie constituée en 1924. Cette année-là, les architectes du ministère de l'Air dessinent un grand bâtiment, inauguré en mai 1928. C'est l'un des premiers à combiner l'aérogare – le « terminal » – et une tour de contrôle aux allures de tour fortifiée. Côté ville, la façade sera critiquée pour sa ressemblance incongrue avec celle d'une gare de chemin de fer. À Amsterdam, important centre d'escales et de correspondances aériennes, servant de base à la compagnie KLM, l'aéroport de Schipol est ouvert en 1920 également ; son premier bâtiment d'aérogare est inauguré en 1928. Ici, le dessin de la tour de

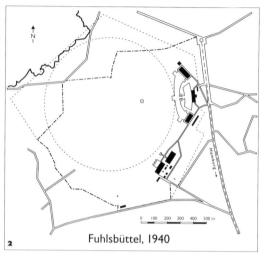

2

Fuhlsbüttel, 1940

Municipal airports

During the 1920s and 1930s the mixed considerations of economics and prestige which lay behind the construction of these first international airports were also to be observed at regional and local levels. With the encouragement of more or less official propaganda organisations, many European cities, anxious not to be isolated from the new airways and preoccupied by the modernity of their civic image, sought to establish their own airports, demonstrations of their forward-thinking approach to the opportunities of civil aviation. Germany emerged as the leading European nation in this movement. This was partly for geographical reasons–its location on the air routes to Eastern Europe and the Soviet Union and also the internal distances between its own major cities– but also for political ones. The Weimar Republic, which was barred from military aviation by the Versailles Treaty, actively supported civil aviation initiatives. In an innovative development at Königsberg in East Prussia in 1922, all of the airport functions were housed in a single, terraced terminal building, placed at the corner of the flying field between two symmetrical hangars. Fuhlsbüttel airport, opened by the city of Hamburg in 1929, imitated the first curved terminal building at Tempelhof, with viewing terraces and a panoramic restaurant for spectators, carefully separated from the areas for passengers, baggage and freight. In France civil aviation was strongly supported by local chambers of commerce. The *port aérien* opened

Brooklands, dans le Surrey, en Angleterre : aéro-club construit par Graham Dawbarn en 1932.

Brooklands aerodrome, Surrey: clubhouse building designed in 1932 by the architect Graham Dawbarn.

Flugplatz von Brooklands, Surrey: Das Klubhaus wurde 1932 von Graham Dawbarn entworfen.

Städtische Flughäfen

Die zukunftsorientierten wirtschaftlichen und strategischen Erwägungen, die den Bau der ersten internationalen Flughäfen ausgelöst haben, erreichen im Laufe der 20er und 30er Jahre auch die Provinz. Von mehr oder weniger offiziellen Propagandaeinrichtungen ermutigt und auch dem eigenen Repräsentationsbedürfnis folgend, statten sich zahlreiche europäische Städte mit Flughäfen aus. Sie fürchten, den Anschluß an den Luftverkehr zu verpassen und bemühen sich um ein modernes Image. Deutschland ist in dieser Hinsicht ein Wegbereiter: Seine wichtigsten Städte liegen nicht nur weit genug auseinander, um eine Luftverbindung erstrebenswert zu machen, Deutschland befindet sich auch auf der Strecke nach Osteuropa und der Sowjetunion. Außerdem unterstützt die Weimarer Republik, die nach dem Versailler Vertrag keine militärische Luftfahrt betreiben darf, die zivile Luftfahrt in jeder Hinsicht.

Bereits 1922 bietet der von Hans Hopp entworfene Flughafen Königsberg in Ostpreußen eine Neuheit: Dort sind alle Funktionen des Flughafens in einem einzigen Gebäude mit Terrassendach vereint. Dieses liegt an einer Ecke des Geländes zwischen zwei symmetrisch angeordneten Hangars. Der Flughafen Fuhlsbüttel, der 1929 auf Initiative der Stadt Hamburg gebaut wird, nimmt den leicht bogenförmigen Grundriß des ersten Flughafens in Tempelhof (1926-1929) wieder auf und ist mit Terrassen und Panoramarestaurants für die Zuschauer ausgestattet.

Deren Bereiche werden sorgfältig von denen der Passagiere, des Gepäcks und der Fracht getrennt. In Frankreich ergreifen die Handelskammern die Initiative. Der Lufthafen – „port aérien" – von Lyon-Bron, 1930 eingeweiht, stellt einen Prototyp dar. Um eine große zentrale Halle sind auch hier alle Funktionen in einem einzigen Gebäude untergebracht; an der Spitze des V-förmigen Grundrisses liegt der in das Fluggelände vorgeschobene Kontrollturm. Nach hinten gerichtet, und damit eventuell ausbaubar, befinden sich die Flügelbauten mit den Terrassen für das Publikum. Die Propagandisten der Luftfahrt in England, unter ihnen das „Aerodromes Committee" des Royal Institute of British Architects, bemühen den Vergleich mit Deutschland, um die Städte zur Errichtung von Zivilflughäfen zu bewegen: dort seien im Jahre

Aéroport de Birmingham à Elmdon : l'aérogare « ailée » construite en 1939 par l'agence de l'architecte Graham Dawbarn et de l'aviateur Nigel Norman, en collaboration avec Herbert Manzoni, ingénieur de la Ville de Birmingham. Photo Herbert Felton, *The Architect.*

Birmingham airport (Elmdon): the 'winged' terminal built in 1939 to the designs of the partnership founded by the architect Graham Dawbarn and the pilot Nigel Norman, in conjunction with Herbert Manzoni, Birmingham's Engineer Surveyor.

Der Flughafen von Birmingham in Elmdon: Das „geflügelte" Empfangsgebäude entstand 1939 nach den Entwürfen des Architekten Graham Dawbarn und des Piloten Nigel Norman und in Zusammenarbeit mit dem Stadtingenieur von Birmingham, Herbert Manzoni.

Aérodrome de Heston, à Hounslow, près de Londres. Conçu en 1929 par L. M. Austin et H. F. Murrell, le bâtiment associe la tour de contrôle et l'aéroclub. *The Architect and Building News,* août 1929.

Heston Aerodrome, at Hounslow, near London. Designed in 1929 by the architects L. M. Austin and H. F. Murrell, the building combines the control tower and the clubhouse.

Der Flugplatz von Heston, in Hounslow bei London. Das 1929 von den Architekten L. M. Austin und H. F. Murrell entworfene Gebäude vereint das Klubhaus und den Kontrollturm.

Aérogare de Shoreham, près de Brighton, sur la côte sud de l'Angleterre, construite en 1936 par Stavers Tiltman et James Bodell. Photo H. E. S. Simmons.

Shoreham Airport (Shoreham-by-Sea, West Sussex), completed in 1936 to the design of Stavers Tiltman and James Bodell, architects.

Der Flughafen von Shoreham bei Brighton, an der Südküste Englands, wurde 1936 nach dem Entwurf von Stavers Tiltman und James Bodell fertiggestellt.

Aéroport municipal de Ramsgate, sur la côte du Kent, en Angleterre, conçu en 1937 par David Pleydell-Bouverie. Le plan de l'édifice adopte la forme d'une aile d'avion, la tour de contrôle tenant lieu de cockpit.
Photo Dell & Wainwright, British Architectural Library, Londres.

Ramsgate Municipal Airport, on the Kent coast, designed by David Pleydell-Bouverie in 1937. The ground plan of this building is shaped like a wing, making the small control tower a pilot's cockpit.

Der Flughafen der Stadt Ramsgate an der Küste von Kent wurde 1937 von David Pleydell-Bouverie entworfen. Der Grundriß des Gebäudes hat die Form eines Flügels wobei der Kontrollturm das Cockpit darstellt.

contrôle, placée vers l'une des extrémités de l'édifice, s'apparente à celui d'un poste d'aiguillage. À Berlin enfin, capitale aéronautique de l'Allemagne et siège de la Luft-Hansa créée en 1926, le terrain de Tempelhof est utilisé à partir de 1922. Il est équipé d'abord d'un ensemble de hangars-ateliers, puis, de 1926 à 1929, d'un premier bâtiment terminal.

Les aéroports municipaux

Au cours des années vingt et trente, les considérations économiques et stratégiques, ainsi que les impératifs de prestige qui se conjuguent dans la création de ces premiers aéroports internationaux, se répercutent au niveau régional. Encouragées par des organismes plus ou moins officiels de propagande, de nombreuses villes européennes s'équipent en aéroports, craignant de rester à l'écart des nouvelles routes de l'air et soucieuses de la modernité de leur image. L'Allemagne fait figure de pionnière dans ce mouvement : de longues distances séparent ses grandes villes et elle est un lieu de passage vers l'est de l'Europe et l'Union soviétique. En outre, interdite d'aviation militaire, la République de Weimar soutient activement tout ce qui touche à l'aéronautique civile. En 1922, le site de Königsberg, en Prusse orientale, innove déjà en rassemblant toutes les fonctions de l'aérogare sous les toits en terrasse d'un édifice unique, placé à l'angle du terrain et flanqué de deux grands hangars. Fuhlsbüttel, construit à l'initiative de la Ville de Hambourg en 1929, reprend le plan légèrement incurvé du premier bâtiment de

Tempelhof, aménageant terrasses et restaurants panoramiques pour les spectateurs, dont le flux est soigneusement séparé de ceux des passagers, des bagages et du fret. En France, ce sont les Chambres de commerce qui prennent l'initiative ; le « port aérien » de Lyon-Bron, inauguré en 1930, se présente comme un prototype. Autour d'un grand hall central, toutes les fonctions sont réunies dans un bâtiment dont le plan dessine un V dont la pointe, occupée par la tour de contrôle, avance vers le milieu du terrain. Disposées vers l'arrière, et autorisant donc d'éventuelles extensions, les « ailes » sont aménagées en terrasses pour le public. En Angleterre, afin d'inciter les municipalités à créer des aérodromes civils, les propagandistes dont l'« Aerodromes Committee » du Royal Institute of British Architects font la comparaison avec l'Allemagne : 151 000 passagers transportés en 1927, pour 19 000 seulement au Royaume-Uni. La station balnéaire de Blackpool, au nord-ouest du pays, se lance en 1929, suivie par Manchester. L'aérodrome de Birmingham se distinguait par le porte-à-faux des auvents latéraux du bâtiment, qui abritaient les passagers au moment d'embarquer ou de débarquer. Ces auvents, vus de face, lui donnaient une allure d'aéronef. Un autre aéroport est remarquable : celui qui fut créé en 1936 à Gatwick, à 40 kilomètres au sud de Londres, desservi par une ligne ferroviaire directe. Quittant la gare, les passagers empruntent un tunnel pour accéder à un édifice circulaire, près duquel plusieurs avions peuvent stationner ; rayonnant à partir de ce bâtiment en forme de ruche, des passages couverts télescopiques sur rails rejoignent la passerelle des avions, protégeant les passagers des intempéries anglaises et des hélices.

L'aérogare

Ainsi, au cours des années trente, l'idée de l'aérogare moderne tend à prendre des formes précises : un édifice à multiples fonctions mais unique, généralement dissocié des hangars mais incorporant une tour ou un poste de contrôle, le plus souvent au centre. Cet édifice abrite donc l'ensemble des services nécessaires au transport aérien des passagers, du courrier et de quelques marchandises de valeur. Il doit être bas, pour ne pas obstruer les trouées d'envol. Sauf exception (Gatwick), ce bâtiment présente deux façades très

at Bron in 1930 by the city of Lyons was presented as a prototype by the Chamber of Commerce. Here again, all the airport functions were combined under one roof. Articulated around a large public entrance hall, the ground-plan of the Bron terminal formed a V, its angle–occupied by the control tower–advancing towards the centre of the field. The 'wings' of the building, sweeping back towards the perimeter and capable of future extensions, provided terraces for the local plane spotters. In England, the promoters of airport development, in particular the Royal Institute of British Architects and its Aerodromes Committee set up in May 1929, drew attention to Germany's lead (151,000 passengers in 1927, compared to Britain's 19,000) in order to encourage local authorities to create their own civil aerodromes. One of the first was the seaside resort of Blackpool in 1929, soon followed by Manchester. The design of Birmingham Airport's terminal at Elmdon attracted considerable attention. Wing-like projecting canopies, sheltering passengers, suggested that the building itself was ready to take to the air. The new airport opened at Gatwick in 1936, 25 miles south of London but with a direct rail link to the capital, was also much admired. Passengers arriving by train entered the circular terminal building via a pedestrian tunnel. Up to six aircraft could park around this central building. Rail-mounted telescopic passageways connected the gates of this 'beehive' to the planes, protecting passengers from the elements and from propellers.

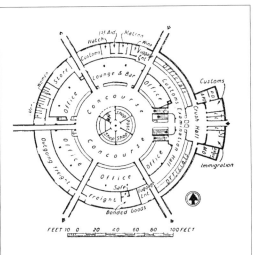

1927 insgesamt 151 000 Passagiere transportiert worden, in Großbritannien dagegen nur 19 000. Das Seebad Blackpool, im Nordwesten des Landes, macht 1929 den Anfang, gefolgt von Manchester. Der Flughafen von Birmingham zeichnet sich durch seine überstehenden seitlichen Vordächer aus, die die Passagiere beim Ein- und Aussteigen schützen sollen und dem Gebäude das Aussehen eines Luftschiffs geben. Bemerkenswert ist auch der 40 km südlich von London gelegene, 1936 gegründete Flughafen Gatwick, der direkt ans Eisenbahnnetz angeschlossen ist. Die Passagiere gelangen vom Bahnhof aus über einen Tunnel in ein rundes Gebäude, an dem mehrere Flugzeuge andocken können. Von diesem bald als „Bienenstock" bezeichneten Gebäude führen tele-

Gatwick : la vue générale du bâtiment – surnommé « The Beehive » (la Ruche) – montre les passages couverts télescopiques avançant vers les avions. Photo Herbert Felton, *Encyclopédie de l'Architecture, Transports en commun, Aéroports*, Paris, Éditions Albert Morancé, s. d., vers 1938.

Gatwick: this view of the circular terminal building, known as 'The Beehive', shows the telescopic passageways giving travellers sheltered access to and from the planes.

Gatwick: Diese Ansicht des runden Gebäudes, bekannt als „The Beehive" (der Bienenstock), zeigt die überdachten und teleskopartig ausziehbaren Gänge, die an die Flugzeuge herangeführt wurden.

Plan du rez-de-chaussée de Gatwick, au sud de Londres, conçue par l'agence de Hoar, Marlow et Lovett et inaugurée en 1936 (extrait de l'ouvrage cité ci-dessus).

Ground floor plan of Gatwick airport's first terminal building, designed by Hoar, Marlow and Lovett and opened in 1936.

Grundriß des Erdgeschosses des ersten Empfangs-gebäudes von Gatwick, von Hoar, Marlow und Lovett entworfen und 1936 eröffnet.

Paris, île des Cygnes, sur la Seine : projet d'un aéro-port-relais – « Aéroparis » – conçu par l'architecte André Lurçat, 1932.
Photomontage, Fonds André Lurçat, AN/IFA, Paris.

'Aéroparis': project for a 'relay-airport' on the Seine, at the foot of the Eiffel tower, put forward by the architect André Lurçat, 1932.

„Aéroparis", Projekt von André Lurçat für einen Zwischenlandeplatz auf der Seine am Fuß des Eiffelturms, 1932.

différentes, côté terre (ou ville, ou rue) et côté air (ou terrain). De ce côté-ci, les toitures s'étagent en terrasses et en gradins aménagés en vue de meetings aériens ou pour le spectacle journalier de l'envol et de l'atterrissage des avions. Avec les concessions commerciales – restaurants, bars, salons de coiffure, kiosques à journaux et débits de tabac –, l'accès payant à ces tribunes peut contribuer à l'amortissement de l'installation.

Pour tout État et pour toute ville qui entreprend la construction d'une aérogare, le bâtiment joue le rôle d'une vitrine : c'est la première (et la dernière) image que voient les voyageurs privilégiés prenant l'avion. Pour eux d'abord, mais aussi pour les visiteurs autochtones qui restent au sol, les espaces publics sont généreusement dimensionnés, clairs, confortables, intelligibles et rassurants – tout le contraire, en un mot, des conditions du vol lui-même. « Avant 1930, on vomissait en avion,
deux heures durant, quatre heures…
C'était tout bonnement insupportable », se rappelle un grand voyageur de l'air, Le Corbusier.

L'expérience acquise en Europe dans la conception d'aéroports est très vite partagée, propagée par des consultants de l'air et autres conférenciers spécialisés. Photographies et plans sommaires des dernières réalisations sont diffusés par des revues et « encyclopédies » d'architecture, et par des expositions. Si la conception des hangars est laissée aux ingénieurs, le programme de l'aérogare, nouveau, compliqué et prestigieux, stimule les architectes, inspirant de nombreux projets souvent irréalistes car ne tenant pas compte des contraintes techniques élémentaires de l'aviation. Mais les voyages en avion facilitent également la circulation des connaissances comparatives. Le fonctionnement et l'agencement des principaux aéroports sont évalués sur le

Airport terminal buildings

During the early 1930s, therefore, the concept of the modern air terminal complex was taking shape. It comprised a multi-functional building, generally separated from the hangars and workshops but usually incorporating the control tower. Apart from this tower, the building had a low profile so as not to obstruct flight paths. It housed all the services necessary for processing passengers, mail and small quantities of freight. With few exceptions (such as Gatwick), the buildings had different elevations for the road access side and the airfield side. The roofs of the latter were designed as platforms for the viewing public at air shows or simply for enjoying the daily routine of aeroplanes landing and taking off. Together with its commercial concessions– restaurants, bars, barbers, newsagents, tobacconists–paying spectators could make a valuable contribution to an airport's revenue.

For the states and cities which invested in their creation, airports were showcases, the places where the influential travellers who came and went by air were given their first (and last) impressions of the host country or city. For these important visitors, but also for the local, non-flying spectators, the public areas of the air terminal were spacious, well-lit, comfortable, intelligible and reassuring, the very opposite of the conditions in flight. 'Before 1930', recalled the architect Le Corbusier, a seasoned air traveller, 'you vomited in an aeroplane, for two hours, for four hours… it was quite simply unbearable'.

Experience gained throughout Europe in the conception of airports was rapidly shared, diffused by aviation consultants and other transport specialists. Photographs and plans were reproduced in the architectural press and shown at exhibitions. Whilst the designs and structural calculations for the hangars were left to the engineers, the innovative and potentially prestigious nature of the air terminal stimulated the imagination of many architects, although their projects sometimes failed to take the practical needs of aircraft or factors such as wind direction into account. But comparative experience also spread via the air networks themselves. Operational systems and building design were evaluated by delegations and committees, with their architectural advisers, on study tours of Europe's leading airports.

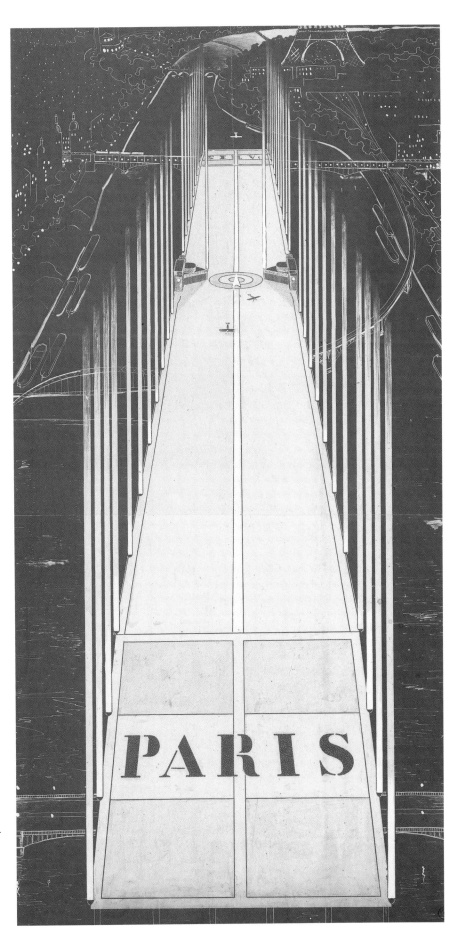

« Aéroparis », projet d'André Lurçat : vision de
la piste d'atterrissage éclairée pour les vols de nuit.
Dessin de Pierre Pinsard, AN/IFA, Paris.

'Aéroparis', project by André Lurçat; pilot's-eye view
of the landing strip illuminated for night flying.

„Aéroparis", Projekt von André Lurçat; Ansicht
der für einen Nachtflug erleuchteten Landebahn.

skopartig ausziehbare, auf Schienen geführte
Gänge zu den Flugzeugen, zum Schutz der Passagiere vor dem englischen Regen wie auch vor den
rotierenden Propellern der Flugzeuge.

Das Empfangsgebäude

So bildet sich im Lauf der 30er Jahre allmählich
der Typ des modernen Flughafens heraus: zahlreiche Funktionen werden in einem einzigen
Gebäude zusammengefaßt, die Hangars stehen
getrennt, im Zentrum ein Kontrollturm oder eine
Kontrollkanzel. Das neue Gebäude enthält somit
alle Abteilungen, die für die Beförderung der Passagiere, der Post und der gelegentlich anfallenden
wertvollen Fracht nötig sind. Es ist notwendiger-
weise flach, um die Flugschneisen nicht zu ver-
sperren. Von Ausnahmen abgesehen (Gatwick),
zeigt es zur Stadt und zum Flugfeld zwei völlig
unterschiedliche Fassaden. An der Flugfeldseite
bilden die Dächer Terrassen und Tribünen für die
Flugschauen und das tägliche Schauspiel der star-
tenden und landenden Maschinen. Neben den
Geschäftskonzessionen – Restaurants, Bars,
Friseure, Zeitungskiosks und Tabakläden – trägt
der gebührenpflichtige Zugang zu den Tribünen
zur Amortisierung der Einrichtung bei.

Für jeden Staat und jede Stadt, die einen Flughafen bauen, dient das Empfangsgebäude als
Schaufenster. Es ist das Erste und das Letzte, was
die privilegierten Fluggäste zu sehen bekommen.
In erster Linie für sie, aber auch für die einheimi-
schen „nicht-fliegenden" Besucher, werden die
öffentlichen Räumlichkeiten großzügig bemessen,
klar, bequem, überschaubar und beruhigend –
also das diametrale Gegenteil der tatsächlichen
Flugbedingungen, denen die Passagiere ausgesetzt
werden. „Vor 1930 erbrach man sich im Flugzeug, zwei Stunden lang, vier Stunden… Es war
einfach unerträglich", erinnert sich ein großer
Flugreisender, Le Corbusier.

Die Erfahrungen, die man quer durch Europa
mit dem Bau von Flughäfen sammelt, werden von
Luftfahrtberatern und anderen Transportspeziali-
sten rasch weitergegeben. Fotografien und Pläne
der jüngstem Neubauten werden durch Zeitschrif-
ten und Enzyklopädien der Architektur sowie in
Ausstellungen verbreitet. Die Konzeption der
Hangars überläßt man gern den Ingenieuren, das
Programm der Flughafengebäude – neu, kompli-
ziert, anspruchsvoll – reizt indes die Architekten.
Es entstehen zahlreiche, teilweise allerdings völlig

Berlin-Tempelhof : première aérogare, construite de 1926 à 1929 par Paul et Klaus Engler.
L'Illustration, 19 novembre 1938, p. 375, Paris.

Berlin-Tempelhof: the first terminal, built between 1926 and 1929 to the designs of Paul and Klaus Engler.

Berlin-Tempelhof: Das erste Empfangsgebäude, zwischen 1926 und 1929 nach den Entwürfen von Paul und Klaus Engler errichtet.

terrain par des décideurs en mission, accompagnés de leurs maîtres d'œuvre et de leurs experts techniques.

Halte obligatoire dans toutes ces tournées d'étude, l'aéroport de Berlin-Tempelhof est en 1936 le plus important du monde, avec près de 200 000 passagers par an et jusqu'à dix décollages ou atterrissages par heure. Malgré l'admiration qu'elle a suscitée lors de son ouverture en 1929, la première aérogare s'avère déjà insuffisante, d'autant que la nouvelle capitale doit servir les ambitions du nouveau régime national-socialiste. Vers 1935 donc, le ministère de l'Air du Reich charge son architecte de la conception de Tempelhof 2. Dans le même temps, le ministère français reprend le dossier de l'aéroport de la capitale française : l'Exposition internationale, annoncée pour mai 1937, rend la modernisation du Bourget très urgente. Au même moment, enfin, sur les rives du Mersey, les premières structures du nouvel aéroport de Liverpool, à Speke, sont en construction. Il sera le plus ambitieux et le plus coûteux entrepris en Angleterre entre les deux guerres ; il devait être prêt, dans l'esprit de ses initiateurs, à accueillir le trafic commercial transatlantique.

Berlin was one of the principal destinations for such trips. By 1936, Tempelhof was the world's busiest airport, with 200,000 passengers a year and up to ten aeroplanes taking off or landing every hour. Despite the accolades it had earned at its opening, the first terminal building was now inadequate, especially for the new capital city of a new regime with a notoriously ambitious political agenda. In 1935, the Air Ministry of the Third Reich commissioned its architect to design a new airport complex at Tempelhof. At the same time, the French Air Ministry was re-appraising the airport facilities of Paris. An international exhibition, announced for May 1937, made the modernisation of Le Bourget a matter of both pride and urgency. During the same year, the buildings of Liverpool's new municipal airport at Speke, overlooking the River Mersey to the south of the city, were under construction. This was to be the most ambitious and costly inter-war airport project in Britain, intended by the corporation of the great port to serve the coming wave of commercial air traffic over the Atlantic.

unrealistische Planungen, die kaum die technischen Grundvoraussetzungen der Luftfahrt beachten. Der Flugbetrieb selber erlaubt es schließlich, Vergleiche anzustellen: die Entscheidungsträger, von ihren Bauleitern und technischen Experten begleitet, besuchen die wichtigsten Flughäfen und begutachten sie vor Ort.

Ein obligatorischer Halt auf diesen Studienreisen ist Berlin-Tempelhof, 1936 mit 200 000 Fluggästen im Jahr und bis zu zehn Starts und Landungen pro Stunde der wichtigste Flughafen der Welt. Das erste Empfangsgebäude der Brüder Engler, das bei der Eröffnung 1929 soviel Bewunderung erregte, hat sich jedoch schon bald als nicht ausreichend erwiesen. Dazu kommt, daß das NS-Regime die Luftfahrt zu Zwecken der Staatsrepräsentation einsetzen will. 1935 beauftragt das Reichsluftfahrtministerium seinen Architekten Ernst Sagebiel mit der Konzeption des zweiten Tempelhofer Flughafens. Zur gleichen Zeit nimmt auch das französische Luftfahrtministerium das Projekt für einen Flughafen in der Hauptstadt wieder auf: die für 1937 geplante Weltausstellung macht die Modernisierung von Le Bourget dringlich. Zum selben Zeitpunkt entstehen an den Ufern des Flusses Mersey, in Speke, die ersten Bauten des neuen Flughafens von Liverpool. Er ist der größte und teuerste Flughafen, der in England zwischen den beiden Kriegen gebaut wird. Nach dem Wunsch seiner Initiatoren sollte von dort aus der transatlantische Handelsverkehr abgewickelt werden.

Airports and Airways, couverture du catalogue de l'exposition organisée à Londres par le Royal Institute of British Architects, 1937.

Airports and Airways, cover of the catalogue of the 1937 exhibition organised at London by the Royal Institute of British Architects.

Deckblatt des Katalogs der Ausstellung, die 1937 vom Royal Institute of British Architects in London organisiert wurde.

L'aéroport de Speke en novembre 1938 ; au premier plan, un De Havilland D. H. 86 appartenant à Railway Air Services.

Speke airport in November 1938. In the foreground, a De Havilland D. H. 86 belonging to Railway Air Services.

Der Flughafen von Speke im November 1938. Im Vordergrund eine De Havilland D. H. 86 der Railway Air Services.

RAILWAY AIR SERVICES LTD
VENUS

Berlin-Tempelhof, Liverpool-Speke et Paris-Le Bourget, vers 1940. L'échelle est identique pour les trois plans ; les éléments protégés aujourd'hui au titre des Monuments historiques sont entourés en rouge.

Berlin-Tempelhof, Liverpool-Speke and Paris-Le Bourget, in about 1940. The three plans are drawn to the same scale; the elements which have statutory protection today are outlined in red.

Berlin-Tempelhof, Liverpool-Speke und Paris-Le Bourget, um 1940. Die drei Pläne haben den selben Maßstab; die heute unter Denkmalschutz stehenden Elemente sind rot umrandet.

L'Europe de l'air

Liverpool, Paris, Berlin : à des échelles différentes – régionale, nationale, internationale –, ces trois aéroports des années trente partagent un même destin exceptionnel : ils existent toujours. À partir de 1939, tout terrain aménagé pour l'aviation, même temporairement, devient une cible stratégique dans la guerre aérienne. Les aéroports européens encore utilisables en 1945 – reconstruits, le cas échéant, à partir des ruines – seront confrontés ensuite aux bouleversements des technologies issues de la guerre : avions à réaction, radar, allongement des pistes construites en dur. Ces changements s'accompagnent d'une expansion sans précédent de la demande, avec l'avènement du transport aérien de masse dans des porteurs de plus en plus gros, atterrissant sur de nouvelles « plates-formes » (Orly, Roissy, Tegel, Speke Sud).

Angleterre, France, Allemagne : les trois pays, chacun selon ses coutumes en la matière, se sentent concernés par la survie de ces aéroports historiques. Ils les ont protégés, partiellement du moins, en tant que monuments appartenant au patrimoine national en raison de leur intérêt historique et architectural. L'idée que leur étude et la reconnaissance de leur valeur ne pouvaient se faire qu'à l'échelle du continent s'est imposée à la Commission européenne « L'Europe de l'air : architectures de l'aéronautique » est un projet du programme culturel dit « Raphaël » qui, à travers des échanges d'expériences, des rencontres et des études de terrain, cherche à éclairer les politiques du patrimoine. Dans leur état actuel – Speke est en cours de réhabilitation pour de nouveaux usages, l'aérogare du Bourget est investie par un musée de l'Aviation en cours de restructuration, Tempelhof est encore en service en plein centre ville (mais pour combien de temps ?) –, ces trois sites pilotes soulèvent en effet de nombreuses questions.

Comment, et selon quels critères, identifier les sites aéronautiques qu'il est intéressant de sauvegarder ? L'ancienneté ? La lisibilité ? Faut-il privilégier les lieux chargés d'histoire, les lieux où la mémoire de l'aventure aéronautique, l'une des plus marquantes du siècle passé, est spécialement prégnante ? Et, le lieu identifié, quel périmètre lui fixer ? Que protéger ? Les bâtiments publics ? Les hangars ? Le terrain tout entier ? Les abords sous influence ? Pour les lieux préservés, enfin,

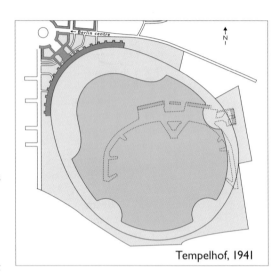

Tempelhof, 1941

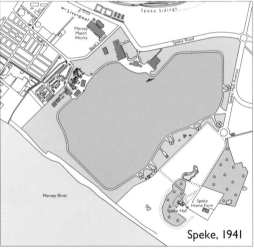

Speke, 1941

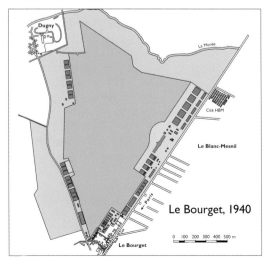

Le Bourget, 1940

Under European skies

Liverpool, Berlin, Paris... on different scales–regional, national and international–these three airports of the 1930s share an exceptional characteristic: all three still exist. From September 1939 any airfield, even temporary ones, became a strategic target for bombers. Those European airports which survived the war–some rebuilt from ruins–had almost immediately to accommodate the technological advances made during the war years: jet propulsion, radar, concrete runways. And these changes were closely followed by an unprecedented explosion in demand, the beginnings of mass air travel in ever-larger airliners requiring new and larger 'platforms' (Tegel at Berlin, Orly and Roissy for Paris, the second airport at Speke).

England, France, Germany... in each of the countries concerned, these late-1930s airports are valued today as exceptionally important survivals. Their buildings have been identified and protected as monuments of special historical and architectural interest, making them an integral part of each nation's cultural heritage. The European Commission readily accepted the idea that their study and the recognition of their specific and general values would benefit from a larger, continental, perspective. *L'Europe de l'air* is a cultural project on the aviation architecture of Europe, supported by the Commission's Raphael programme. By creating a network of specialists and by comparing different national experiences, the ambition of this project is to inform present-day heritage policies.

Speke airport has been abandoned by aviation and its hangars and terminal are today being adapted for new uses; the sixty-year-old terminal at Le Bourget is now occupied by a national air and space museum; Tempelhof is still in use as a city-airport, but for how much longer? Our three 'pilot sites' raise fundamental planning issues. Moving beyond the already difficult questions of the appropriate interpretation, sensitive restoration and imaginative management of a protected heritage, these issues concern the place of this heritage in the landscape of the modern city and in the decisions being taken today for the city's future development.

Without anticipating the lessons that this Raphael project may bring, some simple

Europa der Lüfte

Liverpool, Paris, Berlin... diese drei Flughäfen aus den 30er Jahren teilen das gleiche außergewöhnliche Schicksal: sie existieren noch. Denn im Luftkrieg wurde ab 1939 jedes auch nur kurzfristig für den Flugverkehr eingerichtete Gelände zum strategischen Ziel. Und damit nicht genug – die europäischen Flughäfen, die nach 1945 noch oder wieder benutzbar sind, gegebenenfalls aus Ruinen wiederaufgebaut, werden bald darauf mit den technologischen Umwälzungen der Nachkriegszeit konfrontiert: Radar und Betonpisten für Düsenflugzeuge verändern das Bild der Bauten und der Flugfelder. Dazu kommt ein nie dagewesener Anstieg der Nachfrage. Mit immer größeren Flugzeugen, die von den neuen Start- und Landeflächen (Orly, Roissy, Tegel, Speke-Süd) abheben, wird der stetig zunehmende Massenflugverkehr abgewickelt.

England, Frankreich, Deutschland – die drei Länder kümmern sich bereits um die Erhaltung der historischen Flughäfen. So sind zumindest einige Bauten der Luftfahrtgeschichte geschützt und werden aufgrund ihres historischen und architektonischen Interesses zum nationalen Kulturerbe gezählt. Es erweist sich jedoch, daß das Studium der Flughäfen und ihre Würdigung nur im internationalen Kontext erfolgen kann. *L'Europe de l'Air* ist ein Projekt im Rahmen des Kulturförderprogramms „Raphael" der Europäischen Gemeinschaft, das über den Austausch von Erfahrungen und Feldstudien wie durch gemeinsame Debatten die Flughäfen als europäisches Kulturerbe vor Augen stellen soll. Die drei gewählten Beispiele werfen zahlreiche, durchaus verschiedene Probleme auf: Speke wird für eine neue Nutzung eingerichtet, Le Bourget beherbergt ein Luftfahrtmuseum, das gerade umstrukturiert wird, Tempelhof funktioniert immer noch als Flughafen mitten in der Stadt (aber wie lange noch?).

Wie und nach welchen Kriterien kann man Stätten der Luftfahrtgeschichte erfassen, deren Erhaltung lohnend wäre? Geht es nur um das Alter? Um die Lesbarkeit? Sollten besonders geschichtsträchtige Stätten bewahrt werden? Orte, an denen die Erinnerung an das für unser zu Ende gehendes Jahrhundert so charakteristische Abenteuer Luftfahrt besonders ausgeprägt ist? Und, wenn der Ort einmal ausgemacht ist, wie weit soll der Schutz reichen? Was soll geschützt

« Océan de verdure » : vue sur le champ de vol et
le Mersey depuis la tour de contrôle de Speke,
1999.

'Sea of green': view over the flying field and the
Mersey from Speke's control tower, 1999.

„Wiesenmeer": Blick aus dem Kontrollturm von
Speke auf das Flugfeld und den Fluß Mersey, 1999.

comment faire cohabiter des valeurs de
témoignage et des valeurs – ou contraintes –
d'usage contemporain ?

Au-delà de l'identification, de l'interprétation
et de la gestion sensible d'un patrimoine
monumental, ces questions posent le problème de
la place de ce patrimoine dans la ville et dans les
décisions qui sont prises pour l'avenir de la cité.
Sans anticiper sur d'autres résultats à venir,
quelques enseignements du projet peuvent déjà
être formulés.

Pour sa compréhension et son appréciation,
l'aéroport demande une approche archéologique.
Cloués au sol mais voués aux mouvements
aériens, ce sont des sites en restructuration
perpétuelle, cumulant des strates d'histoire à lire
d'abord dans le bâti. Avec ses hangars des années
vingt avoisinant un pavillon pour VIP des années
soixante et accueillant toujours, tous les deux ans,
un salon international de l'aéronautique,
Le Bourget est sans doute l'un des exemples les
plus frappants de cette sédimentation du temps.
Les murs massifs de Tempelhof témoignent à la
fois de ses origines nazies, de son occupation
américaine et de son rôle vital au début de la
guerre froide. Quant à Speke, dont la cohérence

architecturale est sans conteste la mieux
préservée, il est aussi l'aéroport des Beatles !

C'est vers la verdure du terrain que se tourne
ce regard archéologique, vers ce champ vide
des origines, principal investissement de départ.
Hangars puis aérogares viennent compléter un
paysage qui peut s'étendre plus loin encore, vers
les morceaux de ville fabriqués dans les alentours.
Dans cette vue d'ensemble, depuis le ciel, les
bâtiments actuellement protégés ne constituent
que des parties marginales. Les préserver seuls,
sans l'environnement si particulier auquel
ils appartiennent, c'est les priver de l'essentiel
de leur sens.

Paul Smith, *historien*,
avec la collaboration de Bernard Toulier,
conservateur en chef du patrimoine

observations can already be made here. In order to understand these airport ensembles, an archaeological approach is necessary. Fixed on the ground but dedicated to movements in the air, they are places of perpetual obsolescence, construction and reconstruction, accumulating layers of history to be read first of all in the buildings. With its concrete hangars of the early 1920s right next to a 1960s reception hall for VIPs, and still the venue, every two years, of a major international air show, Le Bourget is probably the most striking example of this process of accumulated traces. Tempelhof, too, within its massive honey-coloured walls, bears witness simultaneously to its Nazi origins and to its American occupation during the Cold War. As for Speke, the ensemble which survives most coherently from the 1930s, it represents one of the last major architectural undertakings of a city at the forefront of transportation history since the early eighteenth century.

It is towards this airfield that the archaeological perspective directs us, towards the open, green space of the airport's origins, the largest part of the original investment. Hangars, workshops, terminal buildings and control towers complete a landscape which can extend even further to encompass whole neighbourhoods generated by the airport's presence. From this point of view–the view from the air–the buildings which enjoy statutory protection today are only peripheral, constituent parts. To preserve them alone, without the very special landscapes they belong to, is to deprive them of a part of their past, of what gives them meaning in the present.

Paul Smith, *historian,*
with the collaboration of Bernard Toulier,
Conservateur en chef du patrimoine
and Bob Hawkins, *English Heritage*

werden? Die Empfangsgebäude? Die Hangars? Das gesamte Gelände? Das betroffene Umfeld? Und schließlich die geschützten Stätten: Wie vereinbart man den Zeugniswert für die Geschichte der Luftfahrt mit den Anforderungen der heutigen Nutzung?

Und selbst wenn Erfassung, Interpretation und vernünftige Verwaltung der Flughäfen als Kulturerbe gesichert sind, bleibt zu klären, welchen Platz sie in der Stadt und in den Entscheidungen für die Zukunft einnehmen sollen. Ohne den zu erwartenden Ergebnissen unseres Projektes vorgreifen zu wollen, hier einige Aussagen zu diesen Fragen: Um einen Flughafen zu verstehen und zu schätzen, muß man ihn in seiner Substanz betrachten. Die an den Boden gebundenen aber im Dienste der Bewegungen in der Luft stehenden Einrichtungen sind ständigen Umstrukturierungen unterworfen und weisen daher verschiedene historische Schichten auf, die in der Baustruktur ablesbar sind. Mit seinen Hangars aus den 20er Jahren neben einem VIP-Pavillon aus den 60er Jahren und seinem alle zwei Jahre stattfindenden internationalen Luftfahrtsalon ist Le Bourget sicherlich eines der besten Beispiele dafür. Die massiven Mauern von Tempelhof erzählen sowohl von seinem Ursprung in der NS-Zeit als auch von seiner lebenswichtigen Rolle für die Stadt während der Luftbrücke und der amerikanischen Besatzung. Speke schließlich, dessen Architektur so vortrefflich erhalten ist, ist auch der Flughafen der Beatles, die von Liverpool in die Welt aufbrachen.

Eine besondere Aufmerksamkeit verdient auch die grüne Fläche des Geländes, dieser – nur scheinbar – leere Raum von dem alles ausging: das Flugfeld. Hangars und Flughafengebäude vervollständigen eine Landschaft, deren Grenzen man bis zu den Stadtteilen im Umfeld ausdehnen kann. In der Gesamtsicht, sozusagen vom Himmel aus betrachtet, bilden die heute als Baudenkmale geschützten Gebäude nur die Randzonen. Nur sie zu schützen, ohne das für sie so wesentliche Umfeld, bedeutet, ihnen ihren ursprünglichen Sinn zu nehmen.

Paul Smith, *Historiker,*
in Zusammenarbeit mit Bernard Toulier,
Conservateur en chef du patrimoine

Berlin

Tempelhof

Vue d'ensemble de l'aéroport, avec les bâtiments courbes sur la Platz der Luftbrücke, l'aérogare et les hangars et le champ de vol au fond.

General view of the airport with the curved buildings on the Platz der Luftbrücke in the foreground, the terminal, the hangars and the airfield beyond.

Gesamtanlage des Flughafens, mit Zirkelbauten am Platz der Luftbrücke, Empfangsgebäude und Hangars, dahinter das Flugfeld.

L'aérogare avec sa cour d'honneur et le champ de vol au fond.

Aerial view of the terminal's main forecourt with the flying field behind.

Ehrenhof und Empfangsgebäude mit Blick zum Flugfeld.

Élévation des hangars, côté ville, avec l'une des tours d'escalier qui devait donner accès à la terrasse sur le toit. Au-dessus du premier étage, l'intérieur est resté inachevé.

The landside of the hangars with one of the stair towers built to give access to the rooftop viewing terraces. Above the first floor, these stairs remain in their unfinished, pre-war state.

Hangars mit Treppentürmen an der Stadtseite, die auf die Dachterrasse führen sollten. Oberhalb des 1. Obergeschosses verblieben alle Treppentürme im Inneren im Rohbau.

Le hall d'honneur qui est resté inachevé. Sa partie
inférieure fut aménagée en hall d'entrée en 1961,
date de la réalisation du plancher intermédiaire.

Upper part of the reception hall as it was left at
the outbreak of the war. An intermediate floor was
built in 1961 and the lower part transformed into
an entrance hall.

Ehrenhalle im Empfangsgebäude, die im Rohbau
verblieb. Der untere Teil wurde 1961 abgetrennt
und als Eingangshalle hergerichtet.

1. Façade principale de l'aérogare sur la cour d'honneur. Les hautes fenêtres éclairent la partie inaccessible du hall d'honneur.

The terminal's main elevation on the courtyard. The tall windows light the now abandoned part of the main reception hall.

Empfangsgebäude, Hauptfassade zum Ehrenhof. Die hohen Fenster belichten die nicht zugängliche Ehrenhalle.

2. Hall d'accueil et de départ, état actuel.

The entrance and departures hall in 1999.

Empfangs- und Abflughalle, heutiger Zustand.

3. *Filmbunker.* Dans ces abris sous les bâtiments d'administration étaient cachées les archives cinématographiques de la Wehrmacht. Elles furent détruites par un incendie lors de la prise de Tempelhof par l'Armée Rouge en avril 1945.

"Filmbunker": this underground shelter beneath the administrative buildings was used to conceal the Wehrmacht's film archives; these were destroyed by a fire in April 1945 when the airport was taken by Soviet troops.

Filmbunker. In den Bunkerräumen unter dem Verwaltungsgebäude war das Filmarchiv der Wehrmacht versteckt, das bei der Einnahme Tempelhofs durch die Rote Armee im April 1945 in Brand geriet.

4. Salle de basketball des troupes américaines, située au-dessus du hall d'accueil. À l'origine, l'espace devait abriter un restaurant.

Basketball court used by American troops, situated above the reception hall. The space was originally intended for use as a restaurant.

Basketballhalle der amerikanischen Truppen über der Decke der großen Empfangshalle. Hier sollte ursprünglich ein Restaurant entstehen.

La partie sud du bâtiment des hangars. Les gradins de la terrasse projetée sont visibles sous le revêtement du toit. Le bâtiment de pierre situé à l'extrémité des hangars est surmonté du poste de contrôle.

The rooftops of the southern part of the hangar buildings, with the platforms of the planned viewing terraces. On the building at the end of the hangars, a small control tower.

Der südliche Abschnitt des Hangargebäudes. Unter der Dachhaut sind die Stufen der geplanten Dachterrasse zu sehen. Auf dem steinernen Abschlußbau die Kontrollkanzel.

1

2

1. Vue sur le champ de vol depuis la terrasse à côté du poste de contrôle.

View over the airfield from the rooftop terrace next to the control tower.

Blick auf das Flugfeld von der Dachterrasse neben der Kontrollkanzel.

2. Élévation au fond de l'aire d'embarquement avec l'un des escaliers descendant vers les avions. Les fenêtres en bandeau ou en saillie sont des motifs caractéristiques du modernisme d'un Le Corbusier ou d'un Erich Mendelsohn.

The elevation at the back of the covered boarding area, with one of the staircases leading down to the apron. The projecting bay windows and the apertures in flat glazed bands are motifs to be found in the modern architecture of Le Corbusier and Erich Mendelsohn.

Rückwand des Flugsteiges mit Freitreppe zum Flugfeld und gläsernem Erker im oberen Geschoß. Fensterbänder und Erker sind Motive der klassischen Moderne im Sinne Le Corbusiers und Erich Mendelsohns.

1. L'aire d'embarquement sous le grand auvent avec un avion en stationnement.

The boarding zone beneath its canopied overhang, with a waiting aeroplane.

Flugsteig mit frei auskragendem Dach und geparktem Flugzeug.

2. Intérieur d'un hangar. Les potences en acier de la charpente ont une longueur totale de 57 mètres ; des câbles d'acier, attachés à une extrémité et pris dans les fondations en béton, permettent le porte-à-faux.

Interior of one of the hangars. The horizontal steel beams of the structure are 170 feet long. The cantilever is held in place by steel cables anchored in the concrete foundations on the landside of the building.

Ein Hangar von Innen. Die Stahlträger der Dachkonstruktion haben eine Länge von insgesamt 57 Metern. Sie ruhen auf Punktstützen und sind am kurzen Ende mit Stahltrossen im Betonfundament verankert.

1

2

Partie est des hangars, occupée par l'armée américaine jusqu'en 1995, avec la tour de radar des années quatre-vingt. Les portes des hangars coulissent sur des rails au sol et dans l'auvent.

The east wing of the hangars, occupied by the American army up until 1995, with the 1980s radar tower. The hangar doors slide on rails on the ground and in the canopy.

Östlicher, bis 1995 von der US-Armee genutzter Abschnitt des Hangargebäudes mit Radarturm der 1980er Jahre. Die Hangartore laufen in Schienen am Boden und in der Decke.

L'aire d'embarquement vers le champ de vol.
Beneath the canopy towards the airfield.
Blick aus dem Flugsteig auf das Flugfeld.

L'aire d'embarquement au début des années cinquante.

The boarding area, in the early 'fifties.

Flugsteig mit Fluggästen in den 1950er Jahren.

Le champ de vol vu de l'est.
The airfield seen from the east.
Das Flugfeld von Osten.

Hangar de Heinrich Kosina et Paul Mahlberg de 1924-1925, utilisé par la Luft-Hansa, fondée en 1926.

The hangar built to the design of Heinrich Kosina and Paul Mahlberg in 1924-25, used by the Luft-Hansa company, founded in 1926.

Hangar von Heinrich Kosina und Paul Mahlberg von 1924-25, betrieben von der 1926 gegründeten Luft-Hansa.

Premier bâtiment d'accueil avec tour de contrôle et terrasse de restaurant en 1927.

The first passenger terminal with its control tower and restaurant, 1927.

Erste Abfertigungshalle mit Beobachtungsturm und Kaffeegarten im Jahre 1927.

L'aérogare de Berlin-Tempelhof, qui réunit dans un bâtiment d'un seul tenant l'accueil et l'embarquement des passagers, le traitement du fret et les hangars des avions, est l'un des plus grands édifices d'Europe. On ne peut qu'être impressionné, à sa descente d'avion, par l'aire de débarquement et son auvent d'acier au porte-à-faux audacieux. Prolongé de part et d'autre par une succession de hangars, le bâtiment s'étire en un immense arc de cercle, long de 1,3 kilomètre, qui épouse la forme ovale du terrain d'aviation. En quittant l'aérogare, le voyageur découvre une autre particularité de cet aéroport: il est en pleine ville, à cinq stations de métro du cœur de Berlin. Le quartier gouvernemental et le Reichstag, situés dans une boucle de la Sprée, ne sont qu'à 3,5 kilomètres de Tempelhof.

Le premier aéroport

Cette situation exceptionnelle, l'aéroport la doit à ses origines. Au XIXᵉ siècle, un grand champ de manœuvres militaires, le *Tempelhofer Feld*, occupait le site qui était aussi un lieu de promenade dominicale pour les Berlinois et accueillait des activités de plein air. Ce terrain restait vierge de constructions alors que tout autour des morceaux de ville constituaient progressivement un tissu urbain continu. Une plaque commémore les vols de démonstration des frères Wright qui s'y déroulèrent en 1909, mais le champ ne fut nivelé qu'en 1922 pour servir régulièrement de terrain d'aviation.

Dessiné en 1924 par les architectes Heinrich Kosina et Paul Mahlberg, un premier bâtiment en dur comprenant hangars et ateliers fut construit sur la partie nord du terrain d'aviation actuel; il fut remarqué à l'époque pour sa sobriété et son modernisme. Un terminal fut réalisé entre 1926 et 1929 par les architectes Paul et Klaus Engler.

En 1926, l'aviation civile allemande est libérée des restrictions imposées par le traité de Versailles. La Luft-Hansa, née à cette date de la fusion de plusieurs compagnies, prend la tête de l'aviation commerciale du pays; Tempelhof devient rapidement un carrefour important de lignes aériennes tant nationales qu'internationales. Le nombre annuel des passagers passe de 32 000 en 1926 à plus de 200 000 en 1936. La construction d'un aéroport de plus grande capacité devenait nécessaire, mais l'augmentation du trafic n'est pas seule à l'origine du projet d'agrandissement.

The terminal at Berlin's Tempelhof airport incorporates all the passenger and freight-handling facilities as well as the aircraft hangars in a single building, one of the largest in Europe. Landing at this airport, the air traveller is immediately impressed by the vast steel canopy that shelters the boarding area with a remarkably audacious cantilever. The building extends on either side of this area, integrating a succession of hangars to form an immense arc, almost a mile long, bordering the oval airfield. Leaving Tempelhof, the traveller discovers another of the airport's special features: its location inside the city, only five underground stations from the centre of Berlin. The government district and the Reichstag, situated in a bend of the River Spree, is little more than two miles from Tempelhof.

Berlin's first airport

This exceptionally central position is the result of the airport's origins. During the nineteenth century the site was occupied by a large field used for military exercises and parades, already surrounded by built-up neighbourhoods of low-cost housing. For Berliners, this *Tempelhofer Feld* was also a destination for their Sunday outings and recreational activities. A small monument commemorates the Wright brothers' demonstration flights that took place on the Tempelhof field in 1909. It was only in 1922, however, that the ground was properly levelled for use as an airfield. The first permanent structure, situated on the northern part of the present-day airfield, was designed by the architects Heinrich Kosina and Paul Mahlberg. It was a building comprising hangars and workshops, admired for its sober, modern lines. A first terminal building was constructed between 1926 and 1929 by the architects Paul and Klaus Engler.

In 1926 the restrictions imposed by the Treaty of Versailles on German civil aviation were lifted. Luft-Hansa, created by the amalgamation of several existing companies, became the flag-carrier for German commercial aviation and Tempelhof, its base, rapidly emerged as a major cross-roads both for national and international air routes. The number of passengers grew from 32,000 a year in 1926 to more than 200,000 in 1936. The need for more extensive installations on the ground was apparent, but the increase in air traffic was not the

Aérogare de Paul et Klaus Engler (1926-1929), partie centrale du bâtiment vue de nuit avec ses tours et feux de signalisation.

The terminal building by Paul and Klaus Engler (1926-29), the first part of the building completed with its signal towers and beacons for night flying.

Empfangsgebäude von Paul und Klaus Engler (1926-29), erster Bauabschnitt mit zwei Signaltürmen; Nachtaufnahme mit Leuchtfeuer.

Der Flughafen Tempelhof gilt noch heute als eines der größten zusammenhängenden Gebäude Europas. Wer immer dort einfliegt, wird von der kühnen Stahlkonstruktion der Flugsteighalle beeindruckt sein, die sich mit den beiderseits unmittelbar anschließenden Hangars zu einem weitgespannten Bogen am Rande des ovalen Flugfeldes zusammenfügt. Auf dem Weg hinaus zum Ziel seiner Reise erfährt der Gast sogleich eine andere Besonderheit dieses Flughafens: Er liegt mitten in der Stadt. Die U-Bahn bringt die Reisenden nach fünf Zwischenstationen zur Stadtmitte; zum Regierungsviertel im Spreebogen fährt man etwa 3,5 km.

Der erste Flughafen

Die zentrale Lage verdankt der Flughafen der Vorgeschichte seines Standortes: Hier befand sich im 19. Jahrhundert ein großer Exerzierplatz, das „Tempelhofer Feld", das auch für Ausflugs- und Freizeitzwecke diente und unbebaut blieb, während ringsum die Stadtquartiere zu immer größerer Dichte zusammenwuchsen. Eine den Brüdern Wright gewidmete Erinnerungstafel berichtet von der ersten Flugschau auf dem Tempelhofer Feld im Jahre 1909. Erst im Jahre 1922 wurde indes das Feld für eine dauerhafte Nutzung als Flugfeld geplant. Die ersten festen Hangars von Heinrich Kosina und Paul Mahlberg (1924-25) beeindruckten durch ihre Modernität und Sachlichkeit. Sie standen am nördlichen Rand des heutigen Flugfeldes, wie auch das von Paul und Klaus Engler entworfene, in mehreren Etappen von 1926-1929 realisierte erste Empfangsgebäude.

Erst 1926 wurde die zivile Luftfahrt in Deutschland aus den Reglementierungen des Versailler Vertrages entlassen. Im selben Jahr entstand auch, durch Fusion diverser Luftverkehrslinien die „Luft-Hansa", die fortan die zivile Luftfahrt in Deutschland führen sollte. Tempelhof wurde rasch zu einem Knotenpunkt im nationalen und internationalen Flugliniennetz. Das Passagieraufkommen wuchs zwischen 1926 und 1936 von 32 000 Personen auf über 200 000. Aber nicht nur der Anstieg der Fluggastzahlen ließ die Errichtung eines neuen, größeren Flughafengebäudes in Berlin wünschenswert erscheinen.

Nach der Machtergreifung durch die NSDAP 1933 wurde die Luftfahrt zu einem zentralen Medium der Staatsrepräsentation. Bereits im

Aérogare de Paul et Klaus Engler, côté ville.

The terminal by Paul and Klaus Engler, seen from the landside.

Empfangsgebäude von Paul und Klaus Engler, Stadtseite.

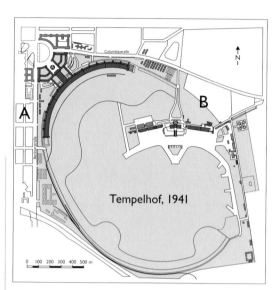

Plan d'ensemble du champ de vol et des bâtiments de Sagebiel (A), en décembre 1941 ; le premier aéroport (B) est resté en fonction jusqu'en 1945.

Plan of the enlarged flying field showing Sagebiel's terminal (A) in December 1941. The original airport (B) remained in use up to 1945.

Lageplan des erweiterten Flugfeldes mit den Gebäuden von Ernst Sagebiel (A), Dezember 1941; gestrichelt die Konturen des bis 1945 betriebenen alten Flughafens (B).

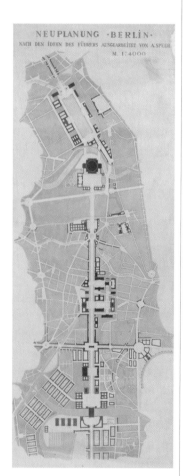

Projet d'Albert Speer pour le grand axe nord-sud de Berlin. L'aéroport de Tempelhof y est relié par un axe est-ouest.

Albert Speer's project for Berlin's grand north-south axis. Tempelhof airport is linked to this axis by a secondary east-west one.

Albert Speers Planung für die Nord-Süd-Achse. Der Flughafen Tempelhof ist über eine Querachse angeschlossen.

Pour le parti national-socialiste, arrivé au pouvoir en 1933, l'aviation est une composante essentielle de l'image de marque de l'État. Le ministère de l'Air est constitué dès avril 1933 et sa direction confiée à Hermann Goering. L'année suivante, pour signifier l'importance de ce ministère, le Reich fait bâtir un siège imposant dans le quartier gouvernemental de Berlin. La conception de l'édifice est confiée à l'architecte Ernst Sagebiel, qui occupait depuis 1930 un poste élevé dans le cabinet de l'architecte Erich Mendelsohn mais rejoignit les services du ministère en 1933, après la fuite de Mendelsohn en Angleterre. L'architecture et la réalisation de ce ministère plurent tant à ses maîtres d'ouvrage que Sagebiel reçut en 1936 la commande du *Staatsflughafen*, le nouvel « aéroport d'État » de Berlin.

L'aéroport de Sagebiel

Cet aéroport a été conçu pour accueillir un trafic trente fois supérieur à celui de 1936 et rester opérationnel jusqu'en l'an 2000. Cette ambition, jointe au rôle important que joue un aéroport d'État de rang mondial pour un régime aux ambitions hégémoniques, explique les vastes dimensions, alors inégalées, du projet. Dans sa conception d'ensemble, Sagebiel se réfère aux modèles qui se rencontraient à la fin des années vingt dans les concours : la distribution fonctionnelle des espaces de Tempelhof correspond aux standards en vigueur pour ce nouveau type d'édifice. Le plan-masse et la forme du bâtiment conjuguent les influences de l'architecture aéroportuaire et d'autres types de construction. Ainsi, la position de l'aire d'embarquement, avec ses hangars décrivant une longue courbe en bordure du terrain, comme pour accueillir les avions dans un geste à la fois ouvert et protecteur, avait déjà été employée à l'aéroport de Hambourg-Fuhlsbüttel. La référence au port maritime, dont les jetées au large promettent abri et sécurité aux vaisseaux, est explicite.

Côté ville, l'élévation de ce bâtiment courbe est rythmée par quatorze tours d'escalier extérieures, massives, qui devaient permettre à 65 000 spectateurs d'accéder aux tribunes du toit pour assister à des démonstrations d'avions militaires. Ces tours ne sont pas sans rappeler l'architecture de certains édifices commerciaux ou

Tempelhof, 1941

0 100 200 300 400 500 m

only reason for the projected reconstruction of the complex.

For the National-Socialist party, in power since 1933, aviation was an essential component of the State's image. The Air Ministry, placed under the direction of Hermann Goering, was created in April 1933. The following year, in order to mark the status of this new ministry, the Reich constructed an imposing building in Berlin's government quarter. The author of this building was the architect Ernst Sagebiel. Since 1930 Sagebiel had occupied an important post in the architectural practice of Erich Mendelsohn. In 1933, after Mendelsohn fled to England, he joined the Air Ministry. The design and realisation of the Reich's new Air Ministry building were so successful in the eyes of the government that in 1936 Sagebiel was given the commission for the *Staatsflughafen*, Berlin's new state airport.

Sagebiel's airport

This airport was intended to accommodate air traffic thirty times more voluminous than in 1936 and was expected to remain in service up to the year 2000. These extraordinary capacities, coupled with the role that the state airport was destined to play on the world stage according to the ambitions of the new regime, explain the unprecedented dimensions of Tempelhof's construction. In the general organisation of the new terminal, Sagebiel took inspiration from the models already in circulation at the end of the 1920s where airport design was concerned. The distribution of the building's various functions corresponds with standards already worked out for this new building type. The layout and architectural forms are influenced by other airports of the period, but also by other kinds of buildings. The central position of the passenger terminal, for example, flanked by hangars and creating an effect of protective arms embracing

Champ de vol avec les bâtiments de l'aéroport et la place ronde initialement projetée. Dessin de la fin des années trente.

A 1930s impression of the completed airport with its monumental circular plaza as planned.

Flugfeld mit angrenzendem Flughafenkomplex und geplantem rundem Platz. Zeichnung aus den 1930er Jahren.

April 1933 wurde das Reichsluftfahrtministerium geschaffen, dessen Führung Hermann Göring übernahm. Der hohe Geltungsanspruch des Reichsluftfahrtministeriums und seines Leiters manifestierte sich zuerst im Bau des Reichsluftfahrtministeriums, mit dessen Entwurf der Architekt Ernst Sagebiel 1934 beauftragt wurde. Sagebiel, der von 1930 an eine leitende Position im Berliner Büro Erich Mendelsohns innegehabt hatte, war 1933, nach Mendelsohns Flucht ins Exil, in den Dienst des neuen Ministeriums eingetreten und wickelte die Errichtung des Neubaus derart zur Zufriedenheit seines Dienstherren ab, daß er 1936 den Auftrag für den Bau des neuen „Staatsflughafens" in Berlin erhielt.

Der Flughafen Ernst Sagebiels

Der neue Bau sollte nicht nur dem aktuellen, vergrößerten Raumbedarf des Flugbetriebes angepaßt werden. Man ging von einem weiteren, exponentialen Anstieg der Fluggastzahlen aus und wollte nun in Berlin für einen bis zu dreißigfachen Bedarf planen, in der Vorstellung, damit bis ins Jahr 2000 auszukommen. Dies und die aus politischen Gründen angestrebte Überhöhung des Neubaus zum Staatsflughafen des nach Weltgeltung strebenden Regimes führte zu einem Projekt von bis dahin nicht gekannter Größe. Bei der Entwicklung des Gesamtkonzeptes konnte Sagebiel auf die seit den späten 1920er Jahren in mehreren internationalen Wettbewerben zusammengekommenen Vorschläge zur Lösung der Bauaufgabe und zur Definition eines spezifischen Bautyps „Flughafen" zurückgreifen. Die im Neubau vorgesehene räumliche Organisation der Betriebsabläufe entspricht denn auch weitgehend dem damals international angestrebten Standard.

Für die Gruppierung und Formung der Bauten kombinierte Sagebiel verschiedene Motive, die teils aus der Flughafenarchitektur, teils aus ganz anderen Bautypen abzuleiten sind. So ist etwa die Idee, den Flugsteig und die Hangars in einem Bogen am Rand des Flugfeldes aufzustellen, und damit die Ankommenden mit einer offenen und zugleich bergenden Geste zu empfangen, bereits im Flughafen Hamburg-Fuhlsbüttel verwirklicht worden. Daß dieses Motiv wiederum von Hafenbauten am Wasser abstammt, deren weit ausgreifende Molen für die einlaufenden Schiffe Schutz und Sicherheit signalisieren, liegt auf der Hand. Die rhythmische Gliederung der Stadtseite durch eingeschobene massive

Maquette de l'aéroport de Sagebiel avec, au premier plan, les bâtiments donnant sur la place ronde et la cour d'honneur devant l'entrée de l'aérogare.

Model of Sagebiel's airport with the buildings around the plaza in the foreground and the main forecourt in front of the terminal entrance.

Architekturmodell der Gesamtanlage des Flughafens von Sagebiel; im Vordergrund die Zirkelbauten am runden Platz und der Ehrenhof vor dem Empfangsgebäude.

L'ensemble aéroportuaire en 1956, vue aérienne du nord-ouest.

Aerial view of the airport ensemble, seen from the north-west in 1956.

Flugfeld und Flughafengebäude, Luftbild von Nord-Westen, 1956.

Ernst Sagebiel, ministère de l'Air du Reich à Berlin-Mitte, 1934-1936. Le bâtiment est en travaux pour accueillir le ministère des Finances de l'Allemagne fédérale.

Ernst Sagebiel, the Third Reich's Air Ministry building at Berlin-Mitte, 1934-1936. It is being refurbished for the Finance Ministry of the Federal German Republic.

Ernst Sagebiel, Reichsluftfahrtministerium in Berlin-Mitte, 1934-36. Das Gebäude wird für das Bundesfinanzministerium umgebaut.

L'aérogare en chantier, photo publiée en 1938. La structure en béton armé fut réalisée en un temps record.

The terminal under construction, photo published in 1938. The reinforced concrete structure was completed in record time.

Das Empfangsgebäude im Bau, Foto um 1938. Die Stahlbetonskelettkonstruktion wird in großer Geschwindigkeit errichtet.

administratifs. Dans le bâtiment d'IG-Farben, réalisé par Hans Poelzig de 1928 à 1931, par exemple, plusieurs ailes annexes sont rattachées à un bâtiment principal incurvé et forment une sorte de peigne. On peut également déceler quelque ressemblance avec le Tannenbergdenkmal de Walter et Johannes Krüger, en Prusse orientale. Ce monument, très remarqué à l'époque, fut édifié en 1927 pour commémorer deux batailles en 1410 et 1914.

Réalisés en béton armé et revêtus d'un placage de *muschelkalk*, un calcaire coquillier, les corps de bâtiment avançant vers la ville délimitent une cour rectangulaire. Ils constituent un ensemble urbain très imposant mais où l'on ne distingue que peu d'allusions à l'aéronautique. Devant l'aérogare, une place circulaire inachevée, bordée d'immeubles à façades concaves, concentre les perspectives des rues périphériques vers cette cour d'honneur. Une liaison transversale perpendiculaire était prévue. Elle devait relier ces places au grand axe nord-sud, dessiné par Albert Speer en 1937, inclus dans le vaste projet d'urbanisme du régime national-socialiste qui visait à transformer Berlin en Germania, capitale du monde.

Un aéroport à deux visages ?
La bipolarité est une caractéristique essentielle de l'aéroport : côté ville, une construction traditionnelle, avec un placage de pierre et des formes anguleuses ; côté terrain, une façade dotée d'une structure moderne en acier, tout en courbes. Ce contraste, habilement mis en scène, entre une façade « architecturale » et un revers « technique » se rencontrait déjà dans les grandes gares ferroviaires du XIXe siècle. L'aérogare de Sagebiel répète ce schéma dans le contexte stylistique de l'époque. Côté ville, la taille de la pierre et les modénatures des baies contribuent à la clarté

the open field, had already been used at Hamburg's Fuhlsbüttel airport. The reference to a maritime port, with jetties reaching out to promise shelter and security to vessels at sea, is explicit.

On the landside of the airport, the elevation of the curved building is marked by fourteen projecting stair towers, via which as many as 65,000 spectators were to reach the viewing platforms on the rooftop to watch demonstrations of the Reich's air power. These massive towers are reminiscent of the architecture of certain commercial or administrative buildings of the day. The IG-Farben offices built by Hans Poelzig between 1928 and 1931 had similar towers abutting onto a curved building like so many teeth on a comb. It is also possible to detect a resemblance with the towers of the Tannenbergdenkmal in East Prussia, a much-admired monument designed in 1927 by Walter and Johannes Krüger to commemorate two battles, in 1410 and 1914.

The landside buildings of the complex are constructed in reinforced concrete and faced with *muschelkalk*, a variety of shelly limestone. Advancing towards the city around a monumental rectangular courtyard, they form an extremely impressive urban composition but one which is practically devoid of aeronautical references. In front of the airport a ring of buildings with concave facades surrounds a large circular plaza, concentrating the perspectives of the adjoining streets towards this main forecourt. Not all the buildings around this plaza were built as intended, however. An east-west axis was originally supposed to link Tempelhof to the major north-south axis planned by Albert Speer in his vast 1937 scheme for transforming Berlin into Germania, capital of the Greater Reich.

Hans Poelzig, architecte, le siège d'IG-Farben à Francfort-sur-le-Main (1928-1931) : un bâtiment courbe avec une succession d'ailes perpendiculaires.

The IG-Farben building at Frankfurt-on-Main (1928-31) by Hans Poelzig, architect; a curved main building with projecting wings like towers.

Hans Poelzig, IG-Farben Haus in Frankfurt am Main (1928-31): ein gebogener Baukörper mit turmartig vorgesetzten Flügelbauten.

Treppentürme läßt sich hingegen mit der Geschäfts- und Verwaltungsarchitektur in Verbindung bringen – etwa mit dem IG-Farben-Haus von Hans Poelzig (1928-31) in Frankfurt, an dessen gebogenen Haupttrakt mehrere kurze Quertrakte kammartig angesetzt sind. Ähnlichkeiten ergeben sich aber auch zum damals vielbeachteten Tannenbergdenkmal von Walter und Johannes Krüger in Ostpreußen (1925-27). Die Treppentürme am Flughafen waren als Zugänge zu den geplanten Dachtribünen gedacht, von denen aus das Volk den militärischen Flugschauen der Luftwaffe zusehen sollte.

Die der Stadt zugewandten Bauteile, durchweg als Stahlbetonbauten ausgeführt und mit Muschelkalkplatten bekleidet, sind zu einem städtebaulich höchst wirksamen Ensemble ausgebreitet, das kaum flughafenspezifische Züge trägt. Ein allerdings nur zur Hälfte ausgeführter runder Platz, umstanden von Zirkelbauten, dient zur Fokussierung der aus den umliegenden Quartieren heranführenden Straßen und lenkt in den rechteckigen Vorplatz der Haupthalle, der als Ehrenhof ausgebildet ist. Mit seiner einleitenden Platzfolge sollte der Flughafen über eine Querverbindung an die weiter westlich gezogene Nord-Süd-Achse angeschlossen werden, einem Großprojekt der nationalsozialistischen Hauptstadtplanung, die Berlin in die Welthauptstadt Germania verwandeln wollte.

Ein Flughafen mit zwei Gesichtern?

Bezeichnend für die Gesamtanlage des Flughafens ist ihre Bipolarität: Zur Stadt erscheint sie eckig und steinern und eher traditionalistisch, zum Flugfeld dagegen geschwungen, stählern und modern. Der kunstvoll inszenierte Kontrast zwischen steinerner, „architektonischer" Stadtseite und stählerner, technischer Feldseite war bereits typisch für die großen Bahnhofsbauten des Historismus. Sagebiels Flughafengebäude wiederholt das Schema in einer anderen stilgeschichtlichen Konstellation. Die Stadtseite seines Baus ist von großer kompositorischer Kohärenz und Klarheit, die bis in die Details des Steinschnittes und der Fensterprofilierungen reicht. Die warme, honiggelbe Farbe der badischen Muschelkalkplatten tritt in einen ästhetisch höchst produktiven Kontrast zur Härte der Fenstereinschnitte. Der Verzicht auf eine Betonung der Fugen und vor allem der Verzicht auf architektonische Gliederung und

Le grand hall d'honneur de l'aérogare avec son imposant volume vertical ; photo de chantier.

Construction of the main reception hall of the terminal, a volume of imposingly vertical proportions.

Die große, ungewöhnlich steil proportionierte Ehrenhalle an der Stadtseite des Empfangsgebäudes im Bau.

Montage des structures préfabriquées en acier pour les hangars, 1938.

The prefabricated steel structures of the hangars under construction in 1938.

Montage der als Fertigteile zur Baustelle gelieferten Stahlträger und -stützen für die Hangars, 1938.

Aigle en pierre de taille sur la façade nord-ouest du bâtiment donnant sur l'actuelle Platz der Luftbrücke.

Carved stone eagle on the north-west elevation of one of the buildings on the present-day Platz der Luftbrücke.

Adler aus Werkstein an der Fassade des Zirkelbaus am Platz der Luftbrücke.

de la façade et soulignent la cohérence de la mise en œuvre. La chaude couleur miel de la pierre tranche sur la rigueur du profil des fenêtres. Dans la cour, les façades lisses et nues des bâtiments latéraux, dont les joints ne sont pas accentués, ne comportent pas de division architecturale et quasiment aucun décor ; elles participent du dépouillement du style international en vigueur autour de 1930. Au fond de la cour en revanche, la façade principale, avec ses rangées de hautes baies surmontées d'une corniche, est plus proche du classicisme pesant et sans ornementation largement répandu au milieu des années trente mais considéré en Allemagne comme caractéristique de l'architecture national-socialiste.

L'aire d'embarquement et les hangars donnant sur le terrain sont abrités par une charpente métallique en cantilever avec un porte-à-faux de 40 mètres. Les poutres à âme pleine sont soudées, technique encore peu répandue à cette époque en Allemagne. Les surfaces d'acier sont lisses, sans les rivets qui jusqu'alors étaient indispensables à l'assemblage des constructions métalliques. L'élévation du bâtiment au fond de cette aire d'embarquement couverte se réfère au Neues Bauen (le « Nouveau Construire ») et au mouvement moderne international des années vingt : cette influence est sensible notamment dans les rangées de fenêtres, séparées par de fines menuiseries en acier, qui forment avec le mur une surface sans aspérité. Vitrées sur trois côtés, les fenêtres en saillie qui surplombent les escaliers menant à l'aire d'embarquement rappellent celles créées par Le Corbusier pour une villa édifiée à Vaucresson en 1922.

Il serait cependant erroné de séparer catégoriquement un côté ville sous influence national-socialiste, d'un côté piste, fonctionnel et moderne. Ce double visage est un trait essentiel de la conception. Les prescriptions du régime en matière architecturale réservaient d'ailleurs le classicisme « épuré » aux édifices de prestige ; les bâtiments industriels et techniques devaient être modernes dans le sens de la « Nouvelle Objectivité ». La technicité du côté piste de l'aéroport de Tempelhof était donc tout à fait conforme au système.

Un aéroport achevé ?

Dès 1937, le gros œuvre de l'aérogare est achevé ; l'aménagement intérieur est pratiquement terminé en 1939, au moment où la guerre interrompt le chantier. L'édifice n'est pourtant pas mis en service et les installations des années vingt seront utilisées pendant toute la durée du conflit. De nombreux bureaux de l'édifice de Sagebiel sont néanmoins occupés. Au sud-ouest de la place circulaire, le vestibule du bâtiment offre un bon exemple des soins apportés aux finitions ; il est orné d'une série de vitraux représentant les métropoles que devait desservir la Luft-Hansa à partir de Tempelhof. À cette époque étaient presque terminés le grand hall d'enregistrement et le hall d'honneur transversal qui le précède, étonnamment haut et solennel. Le plafond à caissons du hall d'enregistrement, endommagé par un bombardement pendant la guerre, fut remplacé par un faux plafond au début des années soixante. À la même époque un entresol vint diviser le hall d'honneur, laissant inutilisée la partie haute, inachevée depuis la guerre ; la partie basse sert aujourd'hui de hall d'entrée.

A two-faced building?

Duality is one of the essential characteristics of Tempelhof airport. On the landside it is a relatively traditional construction, faced in stone with regular, angular forms. On the airfield side, the facade is comprised of a modern steel canopy describing an immense concave arc. This artistically arranged contrast between an architectural urban front and a technical back is already to be found in many nineteenth-century railway termini. Sagebiel's airport terminal repeats this contrast in the stylistic context of his day. On the landside, the cut of the stone and the mouldings around the windows contribute to the clarity of the composition. The warm honey colour of the stone cladding sets off the sharp profiles of the window openings and the ground-floor arcades. The surfaces of the buildings lining the main courtyard are smooth; the joints are hardly perceptible; there are no architectural divisions and practically no decoration. This sparseness clearly derives from the international style of the early thirties. At the end of the courtyard, however, the airport's main public facade, with its range of tall windows surmounted by a cornice, is closer to the heavy, simplified classicism which was widespread in Europe during the mid-thirties and which is seen in Germany as characteristic of Nazi architecture.

On the airside of the building, the boarding area and the integrated hangars facing the field are covered by a continuous metallic canopy with a cantilevered overhang of 130 feet. The solid steel beams of this structure are welded together using techniques which were then quite novel in Germany. The surfaces are smooth, free of the rivets hitherto required for assembling such metallic structures. At the back of this covered area, the elevation of the building is clearly inspired by the *Neues Bauen*, the 'new construction' of the Modern Movement of the twenties. This avant-garde influence may be noted in the ranges of windows with their slender metallic frames flush with the surface of the wall. Glazed on three sides, the protruding bays situated above the stairs which lead down to the apron are reminiscent of similar forms that Le Corbusier designed in 1922 for a villa at Vaucresson, in the suburbs of Paris.

It would be a simplification, however, to distinguish a landside, under Nazi influence, from

Ornament läßt die Wände als glatte Flächen erscheinen, also ganz modern im Sinne des internationalen Stils um 1930. Die Fassade der Haupthalle mit ihrer dichten Reihe hoher, steingerahmter und gesimsbekrönter Fenster, steht hingegen dem gewichtigen, ornamentlosen Klassizismus nahe, der in der Mitte der 30er Jahre international verbreitet war, der aber auch als charakteristisch für die Partei-Architektur des Nationalsozialismus gilt.

Die dem Flugfeld zugewandte Flugsteighalle und die Hangars, eine Kragkonstruktion aus Vollwandträgern von 53 m Spannweite, ist in der damals in Deutschland noch kaum verbreiteten Schweißtechnik ausgeführt. Das heißt, die bis dahin im Stahlbau unvermeidlichen Nieten entfielen und die Stahlflächen der Hauptträger und Stützen bieten ein deutlich glatteres und klareres Bild als die älteren Stahlkonstruktionen im Lande. An der Rückwand des Flugsteigs finden sich mehrere Motive, die auf die Tradition des Neuen Bauens und auf die Internationale Moderne der Zeit vor 1933 zurückverweisen – so die durchgehenden Fensterbänder mit schlanken Stahlprofilen, die bündig in der glatten Wand stehen. Die dreiseitig verglasten Erker über den Niedergängen zum Flugsteig kann man als Zitate eines

1. Bâtiment courbe au sud-ouest de la Platz der Luftbrücke avec son aménagement intérieur original. Les vitraux évoquent les métropoles de l'Europe.

An original interior inside the curved building to the south-west of the plaza. The stained-glass windows depict the main cities of Europe.

Süd-westlicher Zirkelbau am Platz der Luftbrücke, Innenausstattung aus der Bauzeit. Die Fenster zeigen Glasmalereien mit Darstellungen der Metropolen Europas.

2. Vitraux avec des vues aériennes de l'île de la Cité à Paris et de la Tower Bridge à Londres.

Detail of the stained-glass windows showing the Ile de la Cité in Paris and London's Tower Bridge.

Glasmalereien mit Luftbildern der Ile de la Cité in Paris und der Tower-Brücke in London.

Des Berlinois assistent à l'atterrissage d'un « bombardier à raisins secs » pendant le pont aérien.

Berliners watching a 'raisin bomber' coming in to land at Templehof during the Airlift.

Berliner beobachten die Landung eines „Rosinenbombers" während der Luftbrücke.

Conçu par Eduard Ludwig, ce monument érigé devant l'aérogare en juillet 1951 est dédié à ceux qui ont perdu la vie durant le pont aérien.

Designed by Eduard Ludwig, this monument erected in front of the airport in July 1951 is dedicated to those who lost their lives during the Berlin Airlift.

Das von Eduard Ludwig geschaffene und im Juli 1951 vor dem Flughafen aufgestellte Luftbrückendenkmal erinnert an diejenigen, die während der Luftbrücke verunglückten.

Carte de l'Allemagne du Nord avec les trois couloirs aériens utilisés par les Alliés pour atteindre Berlin pendant le blocus.

Map of North Germany showing the three air corridors used by the Allies to reach Berlin during the Airlift.

Stilisierte Landkarte von Norddeutschland mit den drei Luftkorridoren, durch die die Westalliierten Berlin während der Blockade anfliegen durften.

Depuis la guerre

En 1948 et 1949, durant le blocus de Berlin-Ouest par le gouvernement soviétique, l'aéroport de Tempelhof vit ses moments les plus dramatiques. Seule la voie des airs relie alors la ville au reste du monde. Un pont aérien, mis en place par les Alliés sous la direction des États-Unis, achemine à Berlin des vivres, des médicaments et les produits de première nécessité, dont le charbon. Ces avions de ravitaillement, surnommés *Rosinenbomber* (« bombardiers à raisins secs »), se posaient au rythme d'un appareil par minute sur les trois pistes en béton de Tempelhof, construites en 1948 par l'armée américaine. C'est de cette époque que date l'attitude foncièrement positive des habitants à l'égard de « leur » aéroport.

Ce n'est qu'en 1951 que l'aéroport, placé sous l'administration de l'armée américaine, sert à nouveau pour l'aviation commerciale. Le grand hall, réaménagé, est mis en service pour la première fois en 1962. Même après la fin du blocus soviétique, l'aéroport reste une porte ouverte sur le monde pour les voyageurs désireux d'éviter les contrôles aux frontières de la République démocratique allemande sur toutes les voies quittant Berlin-Ouest. Les capacités techniques de l'installation de 1937 et la longueur des pistes s'avéraient cependant insuffisantes ; les habitants des quartiers voisins se plaignaient de plus en plus des nuisances et du bruit des avions. La ville décida donc la construction d'un nouvel aéroport, Berlin-Tegel, inauguré en 1975. Le site de Tempelhof fut fermé et ne servit plus qu'à titre exceptionnel. La chute du mur de Berlin en 1989 entraîna la réouverture de l'aéroport dont les parties orientales, occupées jusqu'alors par les

an airside which is purely functional and modernist. This double face is an integral feature of the overall design. While the regime's architectural prescriptions reserved 'purified' classicism for its prestige buildings, industrial and technical buildings were expected to follow the new objectivity of modernism: the technicality of Tempelhof's airside elevation corresponds fully with this system.

The completion of the airport

In 1937 the structure of the terminal building was completed, and its fitting out was almost finished by 1939 when the outbreak of war interrupted work. The building was not put into service during the war and the 1920s buildings remained in use until 1945. Some of the office space in Sagebiel's building was nonetheless occupied. On the south-east side of the circular plaza, the vestibule of the building offers a good example of how the finished airport would have looked inside. It is decorated with a series of stained-glass windows depicting the capitals to which Luft-Hansa would fly from Tempelhof. In 1939, the main departure hall was almost completed too, along with the reception hall in front of it, astonishingly high and solemn, forming the entrance to the airport. The coffered ceiling of the departure hall was damaged by bombing during the war and replaced by a lower ceiling at the beginning of the sixties. At the same time a new floor was inserted in the reception hall, leaving the volume above in its original, unfinished state.

Tempelhof since the war

In 1948 and 1949, during the blockade of West Berlin by the Soviet Union, Tempelhof airport witnessed its most dramatic hours. The only access to the city was by air. Under American direction, the Allies set up an airlift which brought Berlin all its vital resources: food, medicine and even coal. The aircraft, nicknamed *Rosinenbomber* (raisin bombers) by Berliners, landed at Tempelhof at the rate of one every minute, using the three concrete runways laid out by the Americans in 1948. Ever since this airlift, the inhabitants of Berlin have shared a fundamentally positive attitude towards 'their' airport.

LUFTBRÜCKE BERLIN
AIRLIFT BERLIN · PONT AERIEN DE BERLIN

De jeunes Berlinois jouent au pont aérien ;
des briques récupérées représentent l'aéroport de
Tempelhof.

Berlin boys playing at Airlift with bricks arranged
like Tempelhof airport.

Berliner Jungen spielen Luftbrücke. Trümmerzie-
gel markieren die Konturen des Tempelhofer
Flughafens.

ebensolchen Erkers an der Fassade eines Villen-
baus Le Corbusiers in Vaucresson von 1923 interpretieren. Es wäre jedoch falsch, die der Stadt
zugewandten Bauten als die nationalsozialistisch
geprägte und die dem Flugfeld zugewandten als
die moderne, funktionale Seite getrennt bewerten
zu wollen. Die Doppelgesichtigkeit ist der
grundsätzliche Wesenszug des Entwurfes. Die
architekturpolitischen Leitlinien des NS-Regimes
sahen im übrigen nur für Repräsentationsbauten
höchsten Anspruchs den hartkantigen Klassizismus vor, für Bauten der Industrie und Technik
hingegen den modernen, der Neuen Sachlichkeit
verpflichteten Modus. Die Technizität der Flugfeldseite war durchaus systemkonform.

Der neue Flughafen bleibt unvollendet

Bereits im Jahre 1937 war der Rohbau vollen-
det, bis zur kriegsbedingten Einstellung der
Arbeiten 1939 war auch der Innenausbau im
Wesentlichen abgeschlossen. Der Flughafen
konnte jedoch nicht in Betrieb genommen werden. Während der gesamten Kriegszeit nutzte
man die alte Anlage. Zahlreiche Büroräume
wurden indes vollständig fertiggestellt und bezo-
gen. Einen guten Eindruck von der Gediegenheit
der bauzeitlichen Ausstattung vermittelt das
Vestibül des südwestlichen Zirkelbaus am runden Platz. Dort findet sich auch eine Serie gemal-
ter Fenster mit Bildern von den Metropolen
Europas, die die Luft-Hansa von Tempelhof aus
anfliegen sollte. Auch die große Abfertigungshalle und die quer vorgelagerte, ungewöhnlich
hoch und steil proportionierte Ehrenhalle waren
in ihrem Innenausbau weit gediehen. Die Kasset-
tendecke der Abfertigungshalle wurde jedoch
nach einem Bombenschaden abgenommen und
die Halle erhielt Anfang der 1960er Jahre eine
vereinfachte und tiefer abgehängte Profilrahmen-
decke. Die Ehrenhalle teilte man durch den Ein-
bau einer Zwischendecke. Der untere Teil dient
heute als Eingangshalle, der obere ist unvollen-
det und steht leer.

Tempelhof in der Nachkriegszeit

Seine große, heroische Zeit erlebte der Flughafen
in den Jahren 1948-49, als die sowjetische Regierung die Verkehrswege von Westdeutschland
nach Westberlin blockierte und die Stadt nur
noch auf dem Luftwege erreichbar war. Über eine

Déchargement d'avions de transport Douglas
C-47 pendant le blocus de Berlin en 1948-1949.

Unloading Douglas C-47s at Tempelhof during
the 1948-49 Airlift.

Entladung von Transportflugzeugen Douglas
C-47 während der Berlin-Blockade 1948-49.

L'aire d'embarquement le jour de la réouverture de l'aéroport aux vols commerciaux en 1951.

The boarding zone on the day the airport was re-opened for commercial flights in 1951.

Flugsteig bei der Wiedereröffnung des Flughafens für den zivilen Betrieb im Jahre 1951.

1. Après la fin de la guerre : démontage de l'aigle qui surmontait l'aérogare, emmené ensuite aux États-Unis.

After the end of the war: the dismantling the eagle that surmounted the terminal. The eagle was taken to the United States.

Nach Kriegsende: Demontage des Adlers vom Dach des Empfangsgebäudes. Der Adler wurde in die USA gebracht.

2. Rendue par les États-Unis, la tête de l'aigle fut restaurée et posée sur un socle. La photo montre l'inauguration du monument en 1985.

The eagle's head was returned to Germany, and restored as a monument. The photo shows the inauguration of this monument in 1985.

Der Kopf des Adlers wurde aus den USA zurückgegeben, restauriert und als Denkmal aufgesockelt. Das Bild zeigt die Enthüllung im Jahre 1985.

Américains, furent rendues au *Land* de Berlin. Depuis cette époque, des avions de court et moyen courriers utilisent l'aéroport mais sa fermeture définitive est prévue pour les années qui viennent : le trafic sera alors concentré sur l'aéroport de Berlin-Brandebourg à Schönefeld, dont l'agrandissement a été décidé. Quel sera le sort des 450 hectares du terrain d'aviation ? Cette question suscite diverses réflexions. Ce paysage historique est en effet indispensable à la compréhension du bâtiment de l'aérogare, qui seul est protégé en tant que monument historique depuis 1995. L'un des objectifs du projet « L'Europe de l'air » est de sensibiliser les gestionnaires, les décideurs et le grand public pour qu'ils considèrent le site comme un ensemble patrimonial: le bâtiment de Sagebiel est inséparable du terrain d'aviation qu'il borde et qu'il dessert.

Gabi Dolff-Bonekämper
Landesdenkmalamt

It was not until 1951 that Tempelhof, placed under American jurisdiction, was used again for commercial flights. The refurbished departure hall was opened to the public for the first time in 1962. Even after the end of the Soviet blockade, the airport still represented a gateway towards the free world, used by passengers not wanting to pass through the East German frontier controls on all the land routes leaving West Berlin. But the technical capacities of the 1930s installations, and the length of the runways, soon proved inadequate, whilst the people living in the neighbourhoods close to the airport complained increasingly of the noise and nuisance caused by aircraft landing and taking off. The city decided to build a new airport, Berlin-Tegel, opened in 1975. The Tempelhof site was closed down and used only on exceptional occasions.

The fall of the Berlin Wall in November 1989 led to the re-opening of Tempelhof. The eastern parts of the building, hitherto occupied by the Americans, were returned to the Berlin regional government (Land). Since then the airport has been used for short and medium-haul flights, but its definitive closure is anticipated within the next few years. Air traffic is to be concentrated at the Schönefeld airport in Berlin-Brandenbourg, which will be enlarged. What will become of the 180 acres of the Tempelhof airfield? This question has already given rise to much planning thought. The historic landscape of the flying field is indispensable to the understanding of the terminal building, which has been a protected historic monument since 1995. One of the objectives of the Raphael *Europe de l'air* project is to convince both planners and the general public that the whole site must be seen as a heritage ensemble. Sagebiel's building is inseparable from the airfield it faces and serves.

Gabi Dolff-Bonekämper
Landesdenkmalamt

Luftbrücke versorgten die drei Westalliierten unter der Führung der USA die Berliner mit Lebensmitteln und Medikamenten, ja sogar die Kohlen mußten eingeflogen werden. In Tempelhof landeten die Maschinen, im Volksmund „Rosinenbomber" genannt, im Minutenabstand. Um dies überhaupt zu ermöglichen, erbaute die amerikanische Luftwaffe in eigener Regie im Laufe des Jahres 1948 kurz hintereinander die drei betonierten Start- und Landebahnen auf dem bis dahin nur als Rasenplateau gefaßten Flugfeld. Aus dieser Zeit rührt die uneingeschränkt positive Einstellung der Stadtbevölkerung zu „ihrem" Flughafen.

Erst 1951 wurde ein Teil der von der US-Armee verwalteten Flughafengebäude für die zivile Luftfahrt geöffnet, 1962 die große Halle erstmalig in Betrieb genommen. Auch nach dem Ende der Blockade war für Reisende von und nach Westberlin, die die Grenzkontrollen auf den Transit-Strecken durch die DDR meiden wollten, der Flughafen das Tor zur Welt. Allerdings reichten die technischen und räumlichen Kapazitäten der Anlage von 1937 bald nicht mehr aus, dazu kamen die Klagen der Anwohner über den steigenden Fluglärm. Daher entschloß sich die Stadtregierung zum Bau des Flughafens Tegel, der 1975 in Betrieb ging. Tempelhof wurde einstweilen stillgelegt und nur gelegentlich für besondere Zwecke angeflogen.

Nach dem Fall der Mauer nahm man die Anlage wieder in Betrieb. Seitdem starten und landen hier kleinere Maschinen im europäischen Regionalverkehr. Eine endgültige Schließung in den ersten Jahren des neuen Jahrtausends steht bevor, da der Flugverkehr auf den neu auszubau-

enden Berlin-Brandenburgischen Großflughafen in Schönefeld konzentriert werden soll. Die mögliche Nachnutzung des weiträumigen Flugfeldes, das als historische Landschaft für das Verständnis der seit 1995 denkmalgeschützten Flughafengebäude unverzichtbar ist, hat höchst unterschiedliche planerische Überlegungen ausgelöst. Flughafen und Flugfeld als zusammengehöriges Kulturerbe im Bewußtsein der verantwortlichen Entscheidungsträger und der Öffentlichkeit fest zu verankern, ist ein Ziel der denkmalpflegerischen Arbeit im Rahmen des Projektes „Europa der Lüfte".

Gabi Dolff-Bonekämper
Landesdenkmalamt

Un berger avec son troupeau sur la partie sud du terrain en 1967. L'aéroport est en pleine activité.

A shepherd with his flock on the southern part of the airfield in 1967. The airport is in full commercial use.

Ein Schäfer und seine Herde auf dem südlichen Flugfeld im Jahre 1967. Tempelhof wird als Verkehrsflughafen genutzt.

Projet pour un « parc du pont aérien », usage possible du terrain désaffecté. Le champ de vol reste vide, comme « un océan de verdure » ; des constructions neuves sont prévues en bordure du terrain. Kienast Vogt Partner, Zurich, architectes-paysagistes, Albers, architecte, 1998.

Plan of the future Airlift Park, a possible use for the airfield after the closure of the airport. The flying field will remain as a vast open space like a sea of grass; new buildings are planned for the edges of the airfield. Kienast Vogt Partners, Zurich, landscape designers, Albers, architect, 1998.

Plan für den Park der Luftbrücke als Nachnutzung für den stillzulegenden Flughafen. Das Flugfeld soll als weite, flache Fläche, als „Wiesenmeer" frei bleiben, am Rand zu den umliegenden Bezirken sind Flächen zur Bebauung vorgesehen. Kienast Vogt Partner, Zurich, Landschaftsarchitekten, Albers, Architekt, 1998.

Liverpool

Speke

L'aérogare côté terrain, en haut, et côté ville, 1999.

The terminal building, seen from the flying field
(top) and from the road, 1999.

Das Empfangsgebäude von der Flugfeldseite (oben)
und von der Straßenseite.

Hangar n° 1 en cours de restauration, été 1999 ; détails de l'un des aigles en bas relief au sommet des piliers, pendant et après restauration ; détail de l'intérieur du hangar montrant les portes coulissantes.

Hangar n° 1, scaffolded for restoration work during the summer of 1999; details of one of the carved eagles on top of the hangar's twin towers, during and after restoration; detail of the interior of the hangar, showing the folding airshed doors.

Hangar Nr. 1 während der Restaurierung im Sommer 1999; Details mit dem Adlermotiv am oberen Ende eines Eckpfeilers, während und nach der Restaurierung; Detail vom Inneren des Hangars mit den Schiebetüren.

Hangar n° 1 avant restauration, 1997.

Hangar n° 1 in 1997, prior to restoration work.

Hangar Nr. 1 im Jahre 1997, vor den Restaurierungsarbeiten.

Le hangar n° 2, côté terrain et côté arrière ; détail d'une figure ailée au sommet d'une des colonnes ; vue intérieure, 1999.

N° 2 hangar in 1999: the flying field side (1) and the landside (2); a detail of one of the enigmatic winged figures on the hangar's towers; the interior of the hangar.

Hangar Nr. 2 im Jahre 1999. Flugfeldseite und Straßenseite; Detail einer geflügelten Figur auf einem der Pfeiler; das Innere des Hangars.

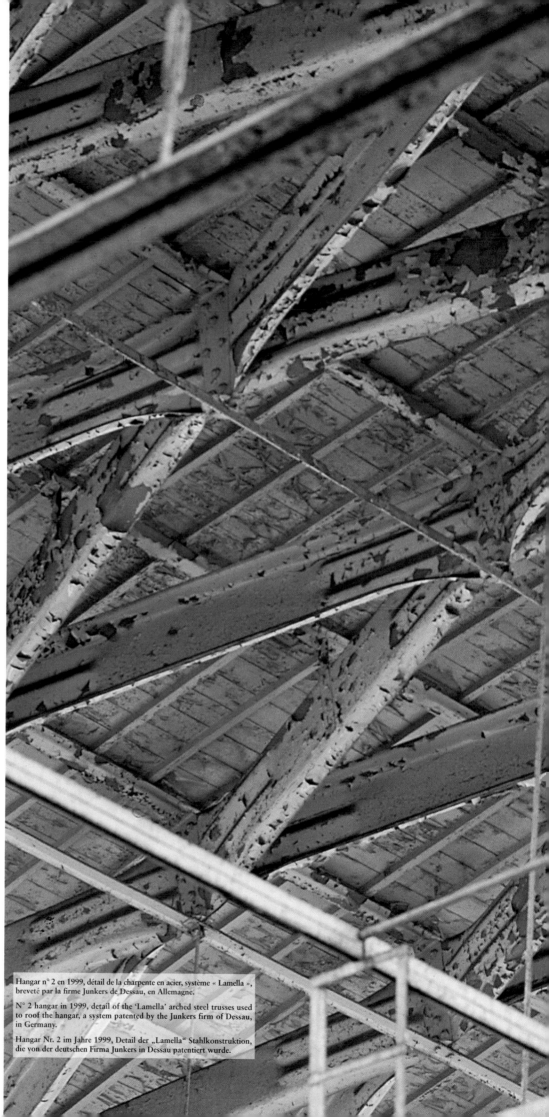

Hangar n° 2 en 1999, détail de la charpente en acier, système « Lamella », breveté par la firme Junkers de Dessau, en Allemagne.

N° 2 hangar in 1999, detail of the 'Lamella' arched steel trusses used to roof the hangar, a system patented by the Junkers firm of Dessau, in Germany.

Hangar Nr. 2 im Jahre 1999, Detail der „Lamella" Stahlkonstruktion, die von der deutschen Firma Junkers in Dessau patentiert wurde.

La tour de contrôle en 1999.
The control tower in 1999
Der Kontrollturm, 1999.

1. Vue depuis la salle de contrôle vers le hangar n° 1.

The view from the control room at the summit of the tower, looking out towards hangar n° 1.

Blick aus dem Kontrollraum auf den Hangar Nr. 1.

2. Vue de l'ascenseur au sommet de la tour.

Detail of the lift inside the tower.

Detail des Fahrstuhls im Turm.

Vues de l'aérogare en 1999 montrant les deux
niveaux des terrasses publiques et un détail des
balustrades.

The terminal building in 1999, showing the two
levels of public viewing terraces and a detail of the
handrails.

Ansichten des Empfangsgebäudes aus dem Jahre
1999 mit den zwei Terrassenebenen und einem
Detail der Brüstung.

Vue aérienne de l'aéroport vers 1980 : en haut à droite, la nouvelle piste construite vers l'est a été reliée, entre le Mersey et Speke Hall, au site d'origine.

Aerial view of Speke airport in the early 'eighties, showing the new runway built to the east, linked the original site between the Mersey and Speke Hall.

Luftansicht des Flughafens, um 1980. Oben rechts die neue Start- und Landebahn, die zwischen dem Fluß Mersey und Speke Hall mit dem ersten Flugfeld verbunden ist.

Speke Hall, remarquable manoir élisabéthain à charpente en bois élevé de 1598 à 1612. Il fut acheté en 1928 par la Ville de Liverpool, qui réserva aussitôt 170 hectares du domaine en vue de la création d'un aéroport. Géré par le National Trust, Speke Hall est aujourd'hui ouvert à la visite.

Speke Hall, an outstanding Elizabethan timber-framed manor house, dates mainly from 1598-1612. In 1928 Speke Hall and its estate were purchased by the Liverpool City Council and 418 acres set aside for an airport. It is now administered by the National Trust and is open to the public.

Speke Hall, ein bemerkenswertes elisabethanisches Landhaus, ein Fachwerkbau aus den Jahren 1598-1612. Der Stadtrat von Liverpool erstand das Haus und das Gelände 1928 und bestimmte 170 Hektar des Geländes für den Flughafen. Heute wird Speke Hall vom National Trust verwaltet und kann besichtigt werden.

Démonstration de voltige par des avions de la Royal Air Force lors de la grande fête aéronautique qui marqua l'inauguration de l'aéroport provisoire de Speke le 1er juillet 1933. Photomontage de presse.

Speke's first airport was launched on 1 July 1933 with a very popular 'Air Pageant' starring Royal Air Force acrobatic display teams.

Kunstfliegen mit Maschinen der Royal Air Force anläßlich des großen Festes zur Einweihung des provisorischen Flughafens von Speke am 1. Juli 1933.

Si dans le domaine des communications par la mer et les canaux, par la route et le chemin de fer la Grande-Bretagne a montré la voie au reste du monde, au XXe siècle la première nation industrialisée a tardé à saisir les avantages du transport aérien. À partir de 1929, afin de promouvoir l'aviation, le célèbre aviateur Sir Alan Cobham, soutenu par le vicomte Wakefield, originaire de Liverpool et fondateur de l'empire Castrol, menait campagne en faveur de la création d'aéroports municipaux. En 1939, une quarantaine d'aéroports avaient vu le jour ; parmi eux, l'aéroport de Speke, près de Liverpool, se distingue par son échelle ambitieuse et par la qualité de son architecture, reflet des idées européennes en matière de construction aéroportuaire.

Un port aérien pour Liverpool

Liverpool était décidée à conserver sa position de principale porte sur l'Atlantique, face à sa rivale, Southampton. En 1919, la première traversée de l'Atlantique par John Alcock et Whitten Brown, sur un ancien bombardier Vickers, avait montré le chemin. La Corporation – la municipalité de Liverpool –, soucieuse du développement économique et du prestige de la ville, comprit la nécessité d'adjoindre un port aérien à son port maritime. En dépit de la crise, Sir Thomas White,

Britain had led the way in maritime, canal, road and rail communications but was slower to see the possibilities of air travel. To awaken enthusiasm for flying, the celebrated aviator Sir Alan Cobham campaigned vigorously from 1929 for a network of municipal airports to be constructed, supported by the prominent Liverpudlian, Viscount Wakefield, creator of the Castrol oil empire. By 1939 some forty local airports had been built. One of these, at Speke outside Liverpool, stands out both for the scale of its construction and for the quality of its architectural design, influenced by contemporary European thinking about airports.

The seaport's airport

The great city was determined to keep her place as the leading Atlantic port and stay ahead of her rival Southampton. Alcock and Brown's 1919 flight across the Atlantic pointed to the way forward in long-distance air travel and an airport was needed as well as docks. Liverpool city had an ambitious civic outlook, reflected in a series of magnificent public buildings, and was 'air-minded'. The prominent councillor, Sir Thomas White, drove forward the campaign to make Liverpool airport the hub of flight in Northern England despite the depression of the early 1930s. The estate of Speke Hall, a remarkable Elizabethan manor house on the north bank of the Mersey, towards the city's south-east limits, was purchased in 1929 and some 400 acres immediately set aside for a new airport. This was a better location than the former First World War aerodrome at Hooton Park, used by the Liverpool Flying Club during the 1920s, but situated on the south bank of the river. The land at Speke, formerly farmed, was flat, free from fog, easy to locate and only seven miles from the city-centre. Close by, at the same time, large industrial and housing estates were laid out. Flights started in June 1930 when an Imperial Airways airliner carried passengers to Liverpool from Croydon, via Birmingham and Manchester. In 1934 a mail service to Amsterdam was opened by the Dutch airline KLM and, in 1936, Aer Lingus began a service to Dublin. The north-west was now linked to the airways of Europe.

Sir Alan Cobham, with the architect Sir John Burnet, prepared a first scheme for a sleek, American-influenced airport in 1930 which even

Großbritannien mag auf Meeren und Kanälen, auf Straßen und Schienen dem Rest der Welt den Weg gewiesen haben, die Vorteile des Lufttransports erkannte die erste Industrienation der Welt erst spät im 20. Jahrhundert. Ab 1929 setzte sich der berühmte Flieger Sir Alan Cobman bei den Kommunen für den Bau von Flughäfen ein. Er wurde dabei von dem aus Liverpool stammenden Viscount Wakefield unterstützt, dem Begründer des Ölimperiums Castrol. Offenbar waren die beiden erfolgreich, denn 1939 gab es bereits vierzig Flughäfen, darunter auch Speke, den Flughafen von Liverpool, der sich durch seine Größe und die Qualität seiner Architektur auszeichnete und die neuesten europäischen Ideen auf dem Gebiet des Flughafenbaus widerspiegelte.

Ein Flug-Hafen für Liverpool

Die Stadt Liverpool war entschlossen, ihre Position als wichtigstes Tor zum Atlantik gegenüber der Rivalin Southampton zu behaupten. John Alcock und Whitten Brown hatten 1919 mit der ersten Überquerung des Atlantiks in einem alten Vickers-Bomber den Weg gewiesen. Die Stadtverwaltung von Liverpool, besorgt um die wirtschaftliche Entwicklung und um das Prestige der Stadt, erkannte die Notwendigkeit, zusätzlich zum bestehenden Hafen einen Flughafen einzurichten. Inmitten der Wirtschaftskrise gab Sir Thomas White, prominentes Mitglied des Stadtrates, damit den Anstoß für den Aufstieg Liverpools zum Kreuzungspunkt des Luftverkehrs in Nordengland.

1929 kaufte die Stadt die südwestlich der Stadt gelegene Domäne des elisabethanischen Landguts Speke Hall am Nordufer des Mersey. Sie war groß genug, um einen Flughafen unterzubringen und schien besser geeignet als Hooton Park, ein Stützpunkt aus dem Ersten Weltkrieg am Südufer des Flusses, der während der 20er Jahre benutzt worden war. Das Gelände von Speke, bis zu diesem Zeitpunkt zu landwirtschaftlichen Zwecken genutzt, hatte zahlreiche Vorteile: Es war flach, 160 Hektar groß und relativ nebelfrei. Außerdem war es vom Himmel aus leicht zu erkennen und lag nur zehn Kilometer von der Stadtmitte entfernt. Auf dem umliegenden Gelände entstanden Fabriken und große Wohnsiedlungen. Die ersten Linienflüge der Imperial Airways im Juni 1930 flogen London (Croydon) an, mit Zwischenlandungen in Manchester und

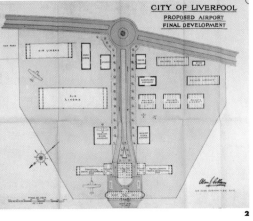

1. Programme-souvenir de l'inauguration.

Souvenir programme for the opening of the airport.

Souvenirprogramm zur Einweihung des Flughafens.

2. Projet de Sir Alan Cobham, avec l'agence de Sir John Burnet & Partners, 4 décembre 1930. Devant les hangars et les ateliers, les bâtiments du terminal – la tour de contrôle, les services des réservations et des douanes, une salle d'attente et un restaurant – avancent vers le terrain. Devant le restaurant était prévu un espace destiné aux buveurs de thé – un open-air tea-lawn.

Proposed airport final development, by Sir Alan Cobham, with Sir John Burnet & Partners as architects; drawing dated 4 December 1930. In front of the workshops and hangars, the terminal buildings—comprising control tower, booking hall, customs services, a waiting room and a restaurant—advance towards the middle of the flying field. In front of the restaurant, an open-air tea lawn was planned.

Projekt von Sir Alan Cobham für den zukünftigen Flughafen von Liverpool, in Zusammenarbeit mit den Architekten Sir John Burnet & Partners, 4. Dezember 1930. Vor den Hangars und den Werkstätten die Gebäude des Terminals – Kontrollturm, Reservierungsbüros, Zoll, Wartesaal und Restaurant. Vor dem Restaurant war für Teeliebhaber ein „open-air tea-lawn" geplant.

3. Projet Cobham, détail montrant l'élévation du terminal sur le terrain de vol : à gauche, les arrivées et départs des vols commerciaux ; à droite, le hangar pour l'aviation privée.

Detail of Cobham's project showing the elevation of the terminal to the flying ground. On the left, the sheds of commercial arrivals and departures; on the right, arrival and departure shed for private owners.

Projekt Cobham, Detail mit der Ansicht der Flughafengebäude vom Flugfeld aus gesehen. Links der Bereich der kommerziellen Luftfahrt, rechts der Bereich für die Privatmaschinen.

4. Une délégation du conseil municipal de Liverpool visite les aéroports d'Amsterdam, de Berlin et de Hambourg en juillet 1934. Au centre, avec une montre à gousset, Sir Thomas White, l'un des principaux promoteurs du nouvel aéroport.

July 1934: a special Sub-Committee visits the continental airports of Amsterdam, Berlin and Hamburg. In the centre—with a watch chain on his waistcoat—Alderman Sir Thomas White was one of the main promoters of the new airport.

Eine Delegation des Stadtrats von Liverpool besucht im Juli 1934 die Flughäfen von Amsterdam, Berlin und Hamburg. In der Mitte, mit einer Taschenuhr, Sir Thomas White, einer der wichtigsten Förderer des neuen Flughafens.

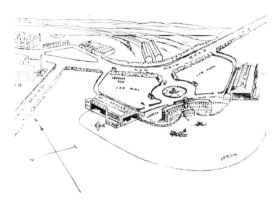

Publié dans la presse en décembre 1934, l'aménagement du futur aéroport, avec le terminal (*station building*) flanqué de deux hangars identiques. À gauche, sur Banks Road, l'usine d'allumettes avec son château d'eau datant de 1919.

Layout of proposed buildings and workshops for the airport development: a 'station building' flanked by two identical hangars; to the left (on Banks Road), the match factory, with its characteristic water tower, dating from 1919.

Die Anlage des zukünftigen Flughafens, mit dem Empfangsgebäude (*station building*), das von zwei identischen Hangars eingerahmt wird. Auf der linken Seite die Streichholzfabrik mit ihrem Wasserturm aus dem Jahre 1919.

« Centre nerveux » de l'aéroport, la tour de contrôle se dresse en 1937 comme un phare, en attendant la construction de l'aérogare.

'Nerve centre' of the airport, the control tower standing in 1937 like a lighthouse, prior to the construction of the terminal building.

Der Kontrollturm von Speke, das „Nervenzentrum" des Flughafens, gleicht im Jahre 1937, vor der Fertigstellung des Empfangsgebäudes, einem Leuchtturm auf grüner See.

membre éminent du conseil municipal, impulsa la campagne qui devait faire de Liverpool le carrefour des transports aériens du Nord de l'Angleterre.

En 1929, la Corporation acheta un domaine dépendant d'un manoir élisabéthain, Speke Hall, situé sur la rive nord du Mersey, au sud-est de la ville. Ce domaine était assez vaste pour accueillir un aérodrome et paraissait préférable à Hooton Park, une base aérienne datant de la Première Guerre mondiale, utilisée au cours des années vingt mais implantée sur la rive sud du fleuve. Le terrain de Speke, exploité jusqu'alors à des fins agricoles, offre de nombreux atouts : il est plat, vaste de 160 hectares, et le brouillard ne l'envahit que rarement. Il est en outre facile à repérer depuis le ciel et situé à dix kilomètres seulement du centre ville. Sur les terrains alentour furent construites des usines et de grandes cités. Les premiers vols réguliers d'Imperial Airways eurent lieu en juin 1930 ; ils desservaient Londres (Croydon), avec des escales à Manchester et Birmingham ; en 1934, la compagnie KLM inaugura un service de courrier vers Amsterdam et en 1936 la compagnie irlandaise Aer Lingus ouvrit une ligne vers Dublin. Le Nord-Ouest de l'Angleterre était relié aux voies aériennes de l'Europe.

En 1930, Sir Alan Cobham esquissa avec l'architecte Sir John Burnet une première proposition pour l'aéroport de Speke ; influencée par des modèles américains, elle prévoyait même d'accueillir des hydravions. Les premières installations furent en réalité bien modestes : il s'agissait de quelques bâtiments de ferme reconvertis dont la cour, couverte d'une charpente provisoire en acier, fit office de hangar. En juillet 1933, une grande manifestation aérienne marqua l'inauguration de l'aéroport. Une foule de trente mille personnes assista aux démonstrations des avions de la Royal Air Force, en présence de Lord Londonderry, secrétaire d'État au ministère de l'Air ; originaire de l'Ulster, celui-ci comprenait particulièrement bien l'importance des communications aériennes avec l'Irlande.

La Ville de Liverpool n'était guère satisfaite des premières installations. En mai 1934, une commission municipale fut spécialement nommée pour concevoir un nouvel aéroport. À l'instar de l'Aerodromes Committee du Royal Institute of British Architects, dirigé par Sir Alan Cobham

included provision for sea planes. In the event a far humbler conversion scheme was carried out, but Cobham's dream of a modern terminal lingered and ultimately influenced the final design. Initially, therefore, some existing farm buildings were converted in 1932 for flying use: a hangar was even built by roofing over the farmyard! In July 1933 a great Air Pageant was held to inaugurate Speke airport. Thirty thousand people came to watch the RAF air display along with Lord Londonderry, Secretary of State for Air, an Ulsterman who clearly saw the advantages of an air link with Ireland.

The city of Liverpool was soon dissatisfied with its converted farm buildings. In May 1934 it set up a sub-committee to look into the design of a new airport. Just as the Aerodromes Committee of the Royal Institute of British Architects, headed by Sir Alan Cobham, had toured Europe in 1931, a Liverpool delegation travelled to the Continent to study the best airports of the day. Amongst those visited was Fuhlsbüttel, created by the seaport-city of Hamburg. Opened in 1929 and designed by Friedrich Dyrssen and Peter Averhoff, this was an integrated architectural ensemble. Flanked

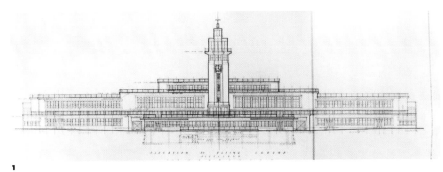

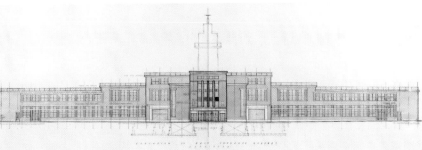

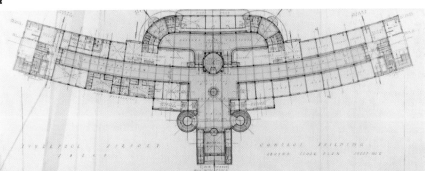

Birmingham. 1934 begann die KLM mit einem Postdienst nach Amsterdam und 1936 eröffnete die irische Gesellschaft Aer Lingus eine Linie nach Dublin. Der Nordwesten Englands war somit an das europäische Flugliniennetz angeschlossen.

1930 skizzierte Sir Alan Cobham mit dem Architekten Sir John Burnet einen ersten Entwurf für den Flughafen von Speke. Von amerikanischen Vorbildern beeinflußt, sah Burnet sogar eine Landemöglichkeit für Wasserflugzeuge vor. Tatsächlich aber waren die ersten baulichen Anlagen auf dem Fluggelände eher bescheidener Natur: man nutzte einige umgebaute Gutsgebäude, ein mit einer provisorischen Stahlkonstruktion überdachter Hof diente als Hangar. Im Juli 1933 feierte man die Einweihung des Flughafens mit einer großen Flugschau. 30 000 Menschen verfolgten das Schaufliegen der Royal Air Force in Anwesenheit von Lord Londonderry, dem Staatssekretär des Luftfahrtministeriums. Diesem aus Ulster stammenden Politiker war die große Bedeutung der Luftverbindung nach Irland durchaus bewußt.

Schon bald war die Stadt mit der baulichen Situation unzufrieden. Im Mai 1934 setzte sie eine außerordentliche Kommission ein, die sich mit der Planung eines neuen Flughafens beschäftigen sollte. Dem Beispiel des Aerodromes Committee des Royal Institute of British Architects folgend, das 1931 unter der Leitung von Sir Alan Cobham mehrere europäische Flughäfen besucht hatte, reiste eine Delegation aus Liverpool auf den Kontinent, um die neuesten Bauten in Holland und in Deutschland zu begutachten. Der Flughafen von Fuhlsbüttel bei Hamburg, einer anderen Hafenstadt, sollte schließlich das Modell für Liverpool liefern. Die von den Architekten Friedrich Dyrssen und Peter Averhoff konzipierten und 1929 eröffneten Gebäude in Hamburg bildeten eine architektonische Einheit: Ein leicht gebogenes Empfangsgebäude, auf beiden Seiten symmetrisch von abgesetzten Hangars eingerahmt, beherbergte alle Funktionen des Flughafens.

Das Meisterstück des Architekten Bloomfield

Die Architekturabteilung der Stadt, unter der Leitung von Albert D. Jenkins, war für das Projekt verantwortlich. Die Konzeption der Gebäude wurde dem Architekten Edward Bloomfield anvertraut, der damit sein Meisterwerk schuf. Die Bauten verraten verschiedene stilistische Einflüsse:

1. 2. 3. Projet de l'architecte Edward Bloomfield pour le « bâtiment de contrôle », signé par son chef, Albert D. Jenkins, directeur des propriétés foncières et géomètre-expert de la Ville de Liverpool, 6 juin 1935 : élévation sur le terrain, élévation vers l'entrée principale sur la route, et plan du rez-de-chaussée.

Edward Bloomfield, architect, Liverpool Airport Speke, Control Building (signed by his superior, Albert D. Jenkins, Land Steward and Surveyor of Liverpool Corporation, 6 June 1935) : elevation to the flying ground, elevation on the roadway and groundfloor plan.

Projekt des Architekten Edward Bloomfield für das „Kontrollgebäude", unterzeichnet von seinem Vorgesetzten Albert D. Jenkins, Grundstücksverwalter und Bauinspektor der Stadt Liverpool, 6. Juni 1935: Ansicht der Fluggeländeseite, Ansicht der Straßenseite, Grundriß des Erdgeschosses.

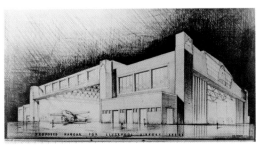

4. Projet pour le hangar n° 1. Le décor du fronton, d'esprit Art déco, est d'inspiration aéronautique : bandeaux vitrés en forme d'aile d'avion et, au centre, évocation stylisée d'un dirigeable ou d'une aile d'avion avec une cocarde.

Proposed hangar for Speke airport. The window shows Art Deco and aeronautical inspirations: the transom lights recall ribbed wing structures, while the central light sports a design that might be a stylised airship or the wing of a plane with a large roundel.

Projekt für den Hangar Nr. 1. Der Giebel zeigt Themen aus der Luftfahrt im Art Deco-Stil: die Oberlichter erinnern an Flugzeugflügel, in der Mitte stellt ein stilisiertes Motiv ein Luftschiff oder einen Flugzeugflügel dar.

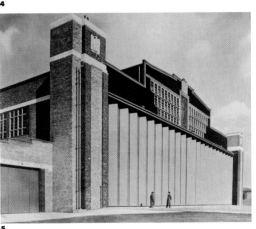

5. « Le nouveau hangar de Speke ». Mues par des moteurs électriques, les portes pliantes et coulissantes furent fournies par la firme Esavian ; les vantaux en bois étaient peints en « gris cuirassier » (*battleship grey*).

'Speke's new hangar', a 1937 press photograph. The electrically-operated, folding wooden 'Esavian' doors (manufactured by the Educational Supply Association Ltd.) were painted battleship grey.

„Der neue Hangar von Speke", ein Pressefoto von seiner Eröffnung 1937. Die elektrisch betriebenen klappbaren Holzschiebetüren wurden von der Firma Esavian geliefert und in „Schlachtschiffgrau" (*battleship grey*) gestrichen.

Le hangar n° 1 vers 1937 avec trois avions commerciaux sur l'aire d'embarquement. Le bâtiment en arrondi, au pied du hangar, servait de hall d'enregistrement provisoire.

Hangar n° 1 circa 1937, with three light passenger aircraft on the apron. The low, rounded building at the foot of the hangar was used provisionally as the airport's booking hall.

Der Hangar Nr. 1 um 1937, mit drei Passagierflugzeugen auf dem Vorfeld. Das niedrige abgerundete Gebäude neben dem Hangar wurde als provisorische Abfertigungshalle benützt.

L'aérogare et ses terrasses vides, peu avant l'ouverture du bâtiment en 1938.

The terminal and its empty viewing terraces shortly before the building's completion in 1938.

Das Empfangsgebäude und seine leeren Terrassen kurz vor der Eröffnung 1938.

qui avait visité certains aéroports européens en 1931, une délégation de Liverpool se rendit sur le continent pour étudier les dernières réalisations en Hollande et en Allemagne. L'aéroport de Fuhlsbüttel, à Hambourg, une autre ville portuaire, allait fournir un modèle pour Liverpool. Conçu par les architectes Friedrich Dyrssen et Peter Averhoff et ouvert en 1929, c'était un ensemble architectural cohérent : un bâtiment légèrement incurvé, flanqué symétriquement de deux hangars indépendants, abritait toutes les fonctions de l'aéroport.

Le chef-d'œuvre de Bloomfield

Le service Architecture de la municipalité, dirigé par Albert D. Jenkins, était responsable du projet. La conception des bâtiments fut confiée à l'architecte Edward Bloomfield ; Speke est son chef-d'œuvre. Les bâtiments révèlent diverses influences stylistiques : le plan d'ensemble et les façades dépouillées sont inspirés de Fuhlsbüttel, tandis que le revêtement en brique et l'exactitude géométrique de leur mise en œuvre rappellent certains courants de l'architecture hollandaise contemporaine. La tour de contrôle, en revanche, s'inspirait plutôt des réalisations aéroportuaires américaines, et la monumentalité de l'ensemble reprenait clairement celle du projet initial de Cobham.

La construction commença en 1935 par le hangar n° 1 et la tour de contrôle ; les deux bâtiments furent inaugurés par Lord Derby en juillet 1937. Autour du hangar, d'autres structures servaient de locaux provisoires pour les passagers. L'aérogare proprement dite, une structure à ossature en acier hourdé de ciment, venait ensuite enserrer la base de la tour. Cet édifice combinait plusieurs fonctions : il était à la fois un centre administratif et un lieu d'accueil pour les passagers, pour leurs bagages et les formalités douanières, un lieu de restauration et de spectacle. Au centre, la forme de la tour de contrôle s'inspire de celle d'un phare : haute de 28 mètres et comptant neuf étages desservis par un ascenseur, elle guide les avions par lumière et par radio. Un éclairage au néon diffuse en morse les lettres LV (pour Liverpool), que les pilotes pouvaient voir, par beau temps, depuis Birmingham.

Le terminal est long de 122 mètres, soit un tiers de plus que celui de Fuhlsbüttel. Comme lui, il est incurvé. Les toitures de ses trois niveaux,

by symmetrical hangars, a curving terminal
building housed all the functions of an airport.
With some modifications, it provided the
formula for Speke.

Bloomfield's masterpiece

Liverpool's public buildings department, headed
by the surveyor Albert D. Jenkins, was
responsible for the project, the actual designer
of the airport buildings being one Edward
Bloomfield. Speke was his masterpiece.
Stylistically, it shows a number of influences.
The overall ground plan and the austere exterior
of the terminal building came from the airport
at Fuhlsbüttel, whilst the brick cladding and
geometrical exactness owe something to
contemporary Dutch architecture, then a
fashionable influence in England. American
airport structures were also influential in the
design of the octagonal control tower, and in the
overall monumentality of the project, which
harked back to Cobham's initial scheme.

Construction of the buildings commenced in
1935. Hangar n° 1 and the control tower, the first
elements to be completed, were officially opened
by Lord Derby in July 1937. Temporary terminal
facilities were provided in the side structures of
the hangar. Next came the terminal building
itself, a steel-framed construction wrapped
around the base of the control tower. This
building combines several functions: a place for
directing aircraft taking off and landing, an
administrative centre, with vital meteorological
services, and a place for arriving and departing
passengers to assemble, pass through customs and
collect baggage. It is also a place of refreshment
and entertainment. Like a lighthouse, the 90-foot
high, nine-storey control tower served as a
beacon, providing both light and radio direction-
finding aids to pilots. A neon signal flashed the
Morse code letters LV (for Liverpool) which, it
was claimed, were visible from as far away as the
skies above Birmingham.

The rest of the terminal building–400 feet
long and unrivalled in England–is slightly curved
and bears a marked resemblance to a grandstand.
It consists of three main layers of staggered decks,
the flat roofs serving as viewing platforms. The
ground floor, occupied by a customs hall, waiting
rooms and ticket offices, led directly out to the
apron. The first floor was dominated by the 200-

Der Gesamtplan und die schlichten Fassaden erinnern an Fuhlsbüttel, die Wandverkleidung aus
Ziegeln und die geometrische Präzision des Zie-
gelversatzes weisen hingegen auf zeitgenössische
Strömungen in der holländischen Architektur. Der
Kontrollturm verrät den Einfluß von amerikanischen Flughäfen und die Monumentalität des
Ganzen geht eindeutig auf das ursprüngliche Projekt von Cobham von 1931 zurück.

Der Bau begann 1935 mit dem Hangar Nr. 1
und dem Kontrollturm. Sie wurden im Juli 1937
von Lord Derby eingeweiht. Um den Hangar
herum wurden provisorische Räumlichkeiten für
die Passagiere geschaffen. Das eigentliche Empfangsgebäude, ein Stahlskelettbau, baute man
dann um die Basis des Turms herum. Es vereinte
mehrere Funktionen: Verwaltung, Empfang der
Passagiere, Gepäckabfertigung und Zollformalitä-
ten, Restauration und Unterhaltung. Der 28
Meter hohe Kontrollturm im Zentrum ähnelt
einem Leuchtturm: Von dort aus wurden die
Flugzeuge durch Licht und Funk geleitet;
ein Fahrstuhl erschloss seine 9 Stockwerke.
Ein Neonsignal sendete die Buchstaben LV
(Liverpool) in Gestalt von Morsezeichen,
die die Piloten bei schönem Wetter schon von
Birmingham aus sehen konnten.

Das Empfangsgebäude ist 122 Meter lang, das
heißt, um ein Drittel länger als das in Fuhlsbüttel
und ist ebenfalls bogenförmig angelegt. Die
Dächer seiner drei Etagen, die als Terrassen für
das Publikum ausgebaut wurden, erinnern an eine
Tribüne. Das Erdgeschoß, in dem sich der Wetterdienst, der Zoll, die Wartesäle und die Büros der
Fluggesellschaften befinden, ermöglicht einen
direkten Zugang zum Vorfeld. Im ersten Stock bietet ein 60 Meter langes Restaurant den Fluggästen
und den Besuchern eine Panoramasicht über das
Fluggelände, das sich bis zum Mersey erstreckt.
Man erreicht es über zwei im hinteren Teil des
Gebäudes gelegene, spiralförmige Treppen. Sie
führen auch zur Wohnung des Flughafendirektors
und den Räumen der Piloten.

Der Hangar Nr. 1 ist einer der bemerkenswer-
testen in Großbritannien. Er hat einen rechteckigen

Le hall de la douane et des passeports au moment
de l'ouverture de l'aérogare.

The customs and passports hall at the time of the
terminal's opening.

Die Halle für die Paß- und Zollabfertigung bei der
Eröffnung des Empfangsgebäudes.

Panneau de signalisation du nouvel aéroport,
surmonté d'un volatile Art déco.

Roadsign for the new airport, with an Art Deco
winged creature.

Straßenschild für den neuen Flughafen mit einer
geflügelten Art Deco-Figur.

Guide officiel de l'aéroport, 1938. L'avion serait un Dragon Rapide.

Official handbook, 1938. The aeroplane depicted is a Dragon Rapide.

Offizielles Handbuch, 1938. Das Flugzeug ist wahrscheinlich ein Dragon Rapide.

Bombardiers Bristol Blenheim en construction à l'usine Rootes, près de l'aéroport, au début de la Seconde Guerre mondiale.

Bristol Blenheim twin-engined bombers under construction at the Rootes factory to the east of the airfield at the beginning of the Second World War.

Bristol-Blenheim-Bomber werden zu Beginn des Zweiten Weltkriegs in der Fabrik Rootes, in der Nähe des Flughafens hergestellt.

aménagées en plates-formes pour le public, font penser à une tribune. Le rez-de-chaussée, occupé par les services météorologiques, la douane, des salles d'attente et les bureaux des compagnies aériennes, donne directement sur l'aire de stationnement des avions. Au premier étage, un restaurant, long de 60 mètres, offre aux passagers comme au public une vue panoramique sur le terrain s'étendant jusqu'au Mersey. On y accède par deux escaliers en spirale, situés à l'arrière du bâtiment, qui desservent également les appartements du directeur de l'aéroport et des chambres réservées aux pilotes.

Le hangar n° 1 de Speke est l'un des plus remarquables de Grande-Bretagne. De plan rectangulaire, il mesure 124 mètres de long sur 65 de large. Il est doté de vastes portes coulissantes et pliantes en bois, mues par des moteurs électriques ; le pignon est encadré par deux piliers en brique, dont le sommet est orné d'un aigle, emblème du vol, d'un style proche de la statuaire italienne fasciste. Dissimulant la charpente en acier de l'édifice, le fronton s'orne de bandeaux vitrés dont les menuiseries évoquent la structure d'une aile. Le hangar est entouré sur trois côtés par des structures auxiliaires : un bloc technique, des ateliers, un garage et un local de lutte contre l'incendie. Le deuxième hangar, à l'est, ne fut achevé qu'en 1939, dans des circonstances plus pressantes. Tout en relevant du projet d'ensemble initial, il est plus court, plus large et moins décoratif que le premier. Le ministère de l'Air participa au financement de sa construction : la RAF avait besoin de ce nouveau hangar pendant la guerre. Il est couvert d'une structure légère en acier de type « Lamella », brevetée par la firme allemande Junkers. Ses piliers sont décorés de bas-reliefs représentant Icare, un ange ou un pilote. Cet homme ailé symbolise sans doute un de ces aviateurs dont les écrits d'un Saint-Exupéry témoignent de l'immense prestige entre les deux guerres.

Speke en guerre
Dès le début de la guerre, l'aéroport de Speke fut réquisitionné par le Gouvernement. De nombreuses structures temporaires (dont un hangar de type « Bellman » encore en place) furent érigées sur le périmètre du terrain qui connaissait alors son activité la plus intense. De cette période date également la construction

foot long restaurant. With its tall windows and uninterrupted views over the airfield, over the Mersey and, on a clear day, as far as the hills of North Wales, it served passengers and spectators alike. This restaurant, reached via two circular stairs on the landside of the building, was flanked by the airport manager's flat and accommodation for pilots.

Hangar n° 1 is the most architecturally ornate example of such structures in Britain. Over 400 feet long and 212 feet wide, it had vast, electrically-operated, wooden, folding doors, and was lit by side and clerestory windows. The twin towers framing the airside elevation were embellished with carved panels of eagles, unmistakably redolent of Italian Fascist decoration. The glazing bars of the central window sport aeronautical motifs, the transom lights recalling the ribbed structures of wings. This steel-framed hangar was surrounded on three sides by smaller structures: a technical administration block, workshops, a garage and a fire station. Hangar n° 2 was completed later and in more pressing circumstances. While it shares some features with its western neighbour and completes a coherent group, it is shorter, wider and less ornate; the Air Ministry financed its construction in 1939 in order to put it to wartime use. It was roofed over using the 'Lamella' system of arched steel trusses, ironically a German invention developed by the Junkers firm of Dessau. Its flanking brick towers were embellished with stone bas-reliefs of a standing winged man: Icarus? an angel? a pilot? The latter enjoyed heroic status between the wars and this sculpture may be seen in the context of the writings of Antoine de Saint-Exupéry and the flights of Amy Johnson.

Grundriß mit einer Länge von 124 und einer Breite von 65 Metern und ist mit großen klappbaren Holzschiebetüren ausgestattet, die mit Elektromotoren betrieben werden. Die beiden Eckpfeiler aus Ziegel, die den Giebel einrahmen, sind in ihrem oberen Teil mit Adlerreliefs dekoriert, die mit ihrem heroischen Zug der faschistischen Skulptur Italiens nahestehen. Die Oberlichter des Frontgiebels, der die Stahlkonstruktion des Gebäudes verbirgt, erinnern an ein Paar weitgespannter Flügel. Maschinenraum, Werkstatt, Garage und Feuerwehrhaus sind an drei Seiten um den Hangar herum angelegt. Der Hangar Nr. 2, weiter östlich gelegen, wurde erst 1939 und in größerer Eile fertiggestellt. Er ist kürzer, breiter und nicht so aufwendig dekoriert wie der Hangar Nr. 1, obwohl auch er von Anfang an geplant war. Das Luftfahrtministerium beteiligte sich an seiner Finanzierung – die Royal Air Force benötigte während des Krieges einen zweiten Hangar. Er besteht aus einer leichten Stahlkonstruktion vom Typ „Lamella", ein Patent der deutschen Firma Junkers. Seine Pfeiler schmücken Flachreliefs, die eine geflügelte Menschenfigur zeigen. Man kann sie als Ikarus, Engel oder als einen Piloten interpretieren. Wahrscheinlich verweist sie auf jene Flieger, deren großes Ansehen während der Zeit zwischen den Kriegen auch in den Werken des französischen Schriftstellers und Piloten Saint-Exupéry zur Sprache gebracht wird.

Speke während des Zweiten Weltkrieges

Mit Beginn des Krieges wurde der Flughafen von Speke von der Regierung beschlagnahmt. Zahlreiche provisorische Bauten, darunter auch die beiden noch stehenden Bellman-Hangars, wurden auf dem Gelände errichtet, das damals wohl die intensivste Nutzung seiner Geschichte erfuhr. Aus

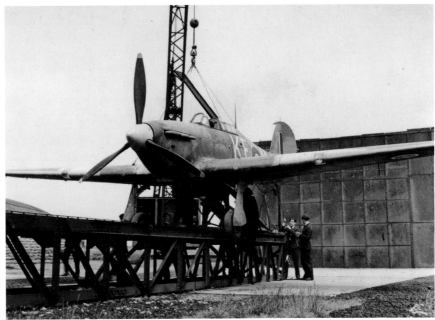

dieser Zeit stammen auch die drei befestigten Start- und Landebahnen. Die RAF verstärkte ihre Präsenz in Speke mit verschiedenen Divisionen, die für die Sicherheit Liverpools und seiner Umgebung verantwortlich waren. Ab Juli 1941 wurde der Stützpunkt für die Tests einer Spezialeinheit von Jagdflugzeugen genutzt. Sie wurden von Handelsschiffen aus mit einem Katapultsystem gestartet, um deutsche Bomber anzugreifen. Dieses Katapultsystem gehörte zur Verteidigungsstrategie, die während der Atlantikschlacht eingesetzt wurde. Ungefähr 60 Hurricanes wurden in Speke getestet und anschließend auf Schiffe geladen, die von Liverpool aus ins Meer stachen. Trotz einiger Erfolge wurde die 650 Mann starke Spezialeinheit 1943 aufgelöst, nachdem eine größere Anzahl von Flugzeugträgern zur Verfügung stand. Liverpool

1. 2. Speke en 1941 : essais du Merchant Ship Fighter Unit. Le chasseur Hurricane est lancé d'une rampe à catapulte. Embarqués sur des navires marchands spécialement équipés, ces avions, une fois en l'air, n'avaient que peu de chances de se poser sur la terre ferme.

Speke in 1941: trials by the Merchant Ship Fighter Unit. The Hurricane is launched from the rocket-powered catapult. Taking off from specially adapted merchant ships to protect convoys, fighters such as these had precious little alternative but to crash into the sea once launched.

Speke im Jahre 1941: Tests der Merchant Ship Fighter Unit. Ein Hurricane wird von einer Katapultrampe abgeschossen. Diese Jagdflugzeuge starteten von speziell ausgerüsteten Handelsschiffen und hatten dann nur geringe Chancen auf festem Boden zu landen.

de trois pistes en dur. La RAF renforça sa présence à Speke, où divers escadrons opérationnels étaient chargés de la protection de Liverpool et de sa région. À partir de juillet 1941, le terrain fut utilisé pour les essais d'une unité spéciale de chasseurs embarqués sur des navires marchands à partir desquels ils étaient catapultés pour combattre les bombardiers allemands. C'est de Liverpool que partaient la plupart des convois qui traversaient l'Atlantique ; ce système de lancement faisait partie de la défense mise en place lors de la terrible bataille de l'Atlantique. De nombreux essais eurent lieu à Speke avec une soixantaine d'avions Hurricane ; ces chasseurs étaient ensuite embarqués sur des navires qui partaient du port de Liverpool. Malgré quelques succès, cette unité spéciale, qui comptait 650 hommes, fut supprimée en 1943 après la mise en service de porte-avions plus nombreux.

1945, fin de la guerre : vue aérienne des avions de l'armée de l'air américaine à Speke, avant d'être démontés et expédiés aux État-Unis.

1945: aerial view of United States Army Air Force planes awaiting dismantling before being shipped back over the Atlantic.

1945: Luftansicht der Flugzeuge der amerikanischen Luftwaffe, die darauf warten, auseinandergebaut und nach Hause verschifft zu werden.

Pendant la guerre, Speke servit essentiellement aux essais en vol des avions construits à proximité, des bombardiers (des Bristol Blenheims à deux moteurs, puis des Halifax de Handley Page, à quatre moteurs), dont plus de mille exemplaires furent construits dans l'usine Rootes, située à l'est du terrain. Speke étant facilement accessible depuis le port où les pièces détachées arrivaient des États-Unis, des milliers d'avions américains, notamment des Lockheeds, y furent montés. Après la fin des hostilités en Europe, Speke devint le principal centre de démontage des avions de l'armée de l'air américaine: les convois de camions transportant les fuselages vers les docks devenaient familiers aux riverains.

Speke's war

Speke had an interesting war period, the airfield never being busier. Many temporary structures (including Bellman-type hangars, one of which still survives) were erected around its perimeter and three hard surface runways were constructed to replace the original grass landing strips. Royal Air Force fighter squadrons protecting Merseyside were based at Speke, and in 1941 the Merchant Ship Fighter Unit arrived. This remarkable unit developed a rocket-driven catapult launching system for Hurricanes which took off from specially adapted merchant ships. Liverpool was the great port for convoys during the Battle of the Atlantic, and the system, pioneered at Speke, was a response to the terrible toll of ships and men and helped to counter the threat of German long-range bombers. This special unit, which employed 650 men, enjoyed some successes but was wound up in 1943, by which time sufficient aircraft-carriers had come into service. Otherwise Speke's main wartime role was to serve as an assembly point and testing field for war planes. Bombers–firstly twin-engined Bristol Blenheims, then four-engined Handley Page Halifaxes–were built at the adjoining Rootes factory to the east of the airfield, and thousands of American aircraft, mainly Lockheeds, were assembled here after their Atlantic crossing. With the cessation of hostilities in Europe, Speke became the foremost airfield for the dismantling of aircraft belonging to the United States Army Air Force. Liverpool grew accustomed to seeing lorry-borne fuselages making their way to the docks.

Speke since the war

After the end of the war, the airport remained under the control of central government. Labour policy as regards civil aviation favoured the nationalisation of certain key airports, and Speke was one of these. Flights, primarily to Ireland, had continued throughout the war, and in November 1944 the Liverpool-London route was re-opened. Aer Lingus and British European Airways were to become the principal carriers and the English Division of BEA had a major maintenance facility at Speke. The airport was increasingly visited by school parties and weekend sight-seers, and the restaurant did good business. In 1949 some 213 staff were employed at Speke, but it was nonetheless regarded by the Ministry of Civil Aviation as 'a not very busy airport'.

war auch der Ausgangspunkt für die meisten
Konvois über den Atlantik.

Im Verlauf des Krieges diente Speke in erster
Linie für Testflüge und für die Montage von
Flugzeugen. Die Bomber (zweimotorige Bristol
Blenheims, dann viermotorige Handley Page
Halifax-Bomber), die in der Fabrik von Rootes,
östlich des Geländes gebaut wurden, wurden hier
getestet. Die gute Verbindung zwischen Hafen
und Flugplatz ermöglichte die Anlieferung von
Flugzeugteilen aus Amerika und so wurden tausende amerikanischer Flugzeuge, insbesondere
vom Typ Lockheed, hier zusammengebaut. Nach
dem Ende der Kampfhandlungen in Europa ent-
wickelte sich Speke zum wichtigsten Demontage-
zentrum der Flugzeuge der amerikanischen
Luftwaffe: Die Lastwagenkonvois, die Flugzeug-
rümpfe zum Hafen brachten, waren für die
Anwohner bald ein vertrautes Bild.

Speke seit dem Ende des Krieges

Nach dem Krieg blieb der Flughafen unter staatli-
cher Kontrolle. Die Politik der Labour Regierung
sah die Verstaatlichung einiger der großen Flughäfen vor, darunter auch Speke. Kommerzielle
Flüge, vor allem nach Irland, waren durch den
Krieg nicht völlig unterbrochen worden. Die Verbindung Liverpool-London wurde 1944 wieder
aufgenommen. Die wichtigsten Gesellschaften
waren Aer Lingus und British European Airways,
die in Speke ein großes Wartungszentrum unter-
hielt. Der Flughafen wurde erneut zu einem Aus-
flugsziel für Schulklassen und Familien und das
Restaurant machte gute Geschäfte. 1949 waren
213 Personen auf dem Gelände beschäftigt. Für
das Luftfahrtministerium spielte Speke allerdings
nur noch eine Nebenrolle. Das grasbewachsene

Des P-51D Mustangs américains en cours de
démontage à Speke, à la fin de la guerre.

American P-51D Mustangs being dismantled at
Speke at the end of the war.

Amerikanische P-51D Mustangs werden nach
Kriegsende in Speke auseinandergebaut.

Le hangar n° 2, transformé dans les années
soixante-dix en terminal international.

Hangar n° 2, temporarily converted into an international terminal in the early seventies.

Der Hangar Nr. 2, der in den 70er Jahren in ein
internationales Terminal verwandelt wird.

Rollfeld der Vorkriegszeit war nicht mehr benutzbar, die Betonpisten waren zu kurz. Zu diesem
Zeitpunkt zeichnete sich für die zivile Luftfahrt
eine neue nationale Strategie ab. Die Flughäfen
wurden auf ihre Ausbaufähigkeit für die Anforderungen der modernen zivilen Luftfahrt hin
geprüft. Speke verlor seine Vorrangstellung. Der
zentraler gelegene Flughafen von Manchester
Ringway, der noch ausbaufähig war, wurde nach
und nach zum wichtigsten Flughafen des englischen Nordwestens. Eine Schließung von Speke
war allerdings noch nicht vorgesehen, sicherlich
aufgrund der Größe und der Qualität der
Bodeneinrichtungen. 1950 gehörte Speke mit
der Verbindung Liverpool-Cardiff zu den ersten
Flughäfen, die einen regelmäßigen Helikopter-
dienst anboten.

1960 übernahm die Stadt Liverpool wieder
die Verwaltung von Speke. Sie stand vor der

L'intérieur de l'aérogare en 1999 ; en bas, la base de la tour de contrôle.

The interior of the terminal in 1999; (bottom) the base of the control tower.

Das Innere des Empfangsgebäudes im Jahre 1999; unten, die Basis des Kontrollturms.

Speke depuis la guerre

Après la guerre, l'aéroport resta sous contrôle de l'État. La politique du gouvernement travailliste de l'époque était de nationaliser certains grands aéroports; Speke fut de ceux-là. Les vols commerciaux, vers l'Irlande principalement, n'avaient pas été complètement interrompus par la guerre; la liaison Liverpool-Londres fut rétablie dès novembre 1944. Les principales compagnies étaient Aer Lingus et British European Airways, qui exploitait à Speke un grand centre de maintenance. L'aéroport redevint un but de promenade pour les groupes scolaires ou les familles et le restaurant prospérait. En 1949, 213 personnes étaient employées sur le site. Pour le ministère de l'Aviation, cependant, Liverpool-Speke était désormais un aéroport de moindre importance. Les pistes engazonnées d'avant-guerre ne suffisaient plus, les nouveaux avions avaient besoin de pistes bétonnées et plus longues. À cette époque une stratégie d'envergure nationale se dessina pour l'aviation civile. On sélectionna les aéroports susceptibles de desservir les grands centres urbains et capables de répondre aux nouvelles exigences du vol commercial. Speke perdit son rôle prééminent. Manchester-Ringway, qui occupe une place plus centrale dans la région, et dont le terrain pouvait encore être agrandi, devenait peu à peu le principal aéroport du Nord-Ouest de l'Angleterre. La fermeture de Speke n'était cependant pas encore envisagée, en raison sans doute des dimensions et des qualités de ses installations au sol. En 1950, l'aéroport fut l'un des premiers au monde à avoir un service commercial régulier par hélicoptère, reliant Liverpool et Cardiff.

En 1960, la Ville de Liverpool reprit à sa charge la gestion de Speke. Le choix était clair: il fallait soit renoncer, face à la concurrence de Manchester, soit moderniser l'aéroport pour le *jet-age*. La municipalité décida de le reconstruire et d'agrandir le terrain, respectant en cela l'esprit dynamique des créateurs de Speke. Une nouvelle piste parallèle au fleuve, inaugurée en 1966, fut créée au sud de Speke Hall. Au début des années soixante-dix, le hangar n° 2 fut temporairement transformé en terminal pour les vols internationaux. Mais dans les années quatre-vingt la construction d'une nouvelle tour de contrôle à quelques kilomètres à l'est et, en 1986, celle d'une nouvelle aérogare scellèrent le sort des bâtiments d'origine. Le nouvel aéroport de Speke, quelconque sur le plan architectural, est néanmoins prospère aujourd'hui : en 1999, plus d'un million de passagers y sont passés. Protégés au titre des Monuments historiques depuis 1975 (protection renforcée depuis 1998), les premiers bâtiments de Speke furent progressivement désaffectés. Durant la même période, frappées par la crise, les grandes usines installées à proximité de l'aéroport – une ancienne usine d'allumettes et l'usine aéronautique Rootes, occupée par Dunlop... – fermèrent leurs portes l'une après l'autre.

A strategy for civil aviation was emerging at this time: regional airports for the principal conurbations were identified and analysed for their ability to respond to the new needs of commercial aviation. Prior to the war, relatively short, grass landing-strips had sufficed, but passenger aircraft were now demanding concrete runways of greater length. Airports had to be readily expandable for anticipated developments in long-distance air travel. Liverpool gradually lost its pre-war pre-eminence and Manchester, more centrally situated and with more room for expansion at its edges, developed as the principal airport for the north-west. Liverpool's terminal building was still fully operational however, and it was largely because of its size and its qualities that it was not abandoned earlier. History was made at Speke in 1950, when the world's first regular passenger service by helicopter was commenced with a BEA service linking Liverpool and Cardiff.

Speke airport was finally returned to Liverpool in 1961. The Corporation faced a clear choice: expand the airport and build a longer runway, or accept its steady decline. In the spirit of Speke's founders, it resolved to enlarge the facilities and a new runway, opened in 1966, was constructed to the south-east of the airport, between Speke Hall and the river. Although hangar n° 2 was temporarily converted into an international terminal in the early 1970s, the 1930s buildings were becoming increasingly marginal as new buildings, including a modern terminal in 1986, assumed their role. This new Speke airport, undistinguished as its architecture might be, is currently prospering, and in 1999, for the first time, it processed over a million passengers. The original buildings at Speke were accorded statutory protection in 1975 (listing upgraded in 1998 to Grade II*), but fell into disuse. At the same time, the enormous factories close to the airfield–a Bryant & May match factory and the Rootes aircraft plant, subsequently occupied by Dunlop–were also being closed down.

Developing Speke

The future for Speke is brightening, however. The site is now owned by the publicly-funded Speke-Garston Development Company; its mission is to bring much-needed jobs to the whole district, in

Départ de l'un des escaliers menant à l'étage de l'aérogare et à son restaurant.

One of the two staircases leading up to the terminal's first floor and restaurant.

Eine der beiden Treppen zum ersten Stock des Empfangsgebäudes und zum Restaurant.

Wahl: Entweder angesichts der Konkurrenz von Manchester aufgeben oder den Flughafen für das Jet-Zeitalter modernisieren. Ganz im Sinne seiner Gründer beschloß die Stadtverwaltung, den Flughafen umzubauen und zu vergrößern. Eine neue Startbahn wurde südlich von Speke Hall parallel zum Fluß angelegt und 1966 eingeweiht. Anfang der 70er Jahre nutzte man den Hangar Nr. 2 kurzfristig als ein Terminal für internationale Flüge. Aber in den 80er Jahren besiegelten der Bau eines neuen Kontrollturms einige Kilometer weiter östlich und eines neuen Flughafengebäudes im Jahr 1986 das Schicksal der ersten Anlage. Die alten Gebäude, die seit 1975 unter Denkmalschutz stehen (1998 Höherstufung als Denkmal von nationaler Bedeutung), verloren nach und nach ihre Funktionen. Die Wirtschaftskrise in der Region führte gleichzeitig zur Schließung der zwei großen Fabriken, die sich in der Nähe angesiedelt hatten, einer Streichholzfabrik und der Flugzeugfabrik Rootes, die später von Dunlop genutzt worden war.

L'intérieur de l'aérogare en 1999.

Interior of the terminal in 1999.

Das Innere des Empfangsgebäudes, 1999.

Détail des pavés de verre servant à éclairer le hall des douanes et des passeports.

Detail of the 'Lenscrete' glass blocks in the ceiling of the customs and passports hall.

Detail der Glasbausteine in der Decke der Halle für die Paß-und Zollabfertigung.

Détail du portail d'entrée de l'aéroport, sculpté par Herbert Tyson Smith et récemment restauré.

One of the gate piers at the entrance to the airport, sculpted by Herbert Tyson Smith and recently restored.

Detail des vor kurzem restaurierten Eingangsportals zum Flughafen, Skulptur von Herbert Tyson Smith.

Vers l'avenir

Aujourd'hui, cependant, l'avenir de Speke est moins noir. Le site appartient dorénavant à la Speke-Garston Development Company, chargée d'un programme de développement économique de toute cette zone avec l'objectif de créer des emplois dans cette région qui en a tant besoin. Cette société d'économie mixte s'emploie aussi à trouver de nouvelles utilisations à l'ancien aéroport. Des travaux d'aménagement et de restauration ont déjà été effectués sur le portail d'entrée; le hangar n° 1 est devenu depuis le début de l'an 2000 un centre de loisirs, avec courts de tennis et piscine. Pour le hangar n° 2, différents projets de nature commerciale sont à l'étude. Le bâtiment du terminal doit être transformé en hôtel de luxe, doté d'un centre de conférences et d'une nouvelle aile côté ville. De l'autre côté, l'aire de stationnement des avions sera préservée mais le terrain de vol sera aménagé en zone d'activités. Même si la restructuration de cette zone s'avère intelligente et sensible, quelque chose sera irrémédiablement perdu: la cohérence du paysage, liée au ballet des avions qui atterrissaient et décollaient devant les différentes architectures au sol. L'aéroport d'origine est désormais désaffecté, mais les bâtiments survivront, témoins de l'investissement de Liverpool dans l'âge d'or du vol commercial.

Roger Bowdler
historien, English Heritage

dire need of economic regeneration. After much uncertainty, new uses for the redundant airport buildings are emerging. At the former entrance to the airport, work has already been carried out on the sculpted gate piers, which have been repositioned and restored. Hangar n° 1 has been transformed into a sports and fitness centre opened in early 2000. Hangar n° 2 awaits a decision, but may well become a call centre. The terminal building is to be transformed into an upmarket hotel and conference centre, with new wings added on the landside. On the airside, the apron will be retained, but the original landing ground is set to be redeveloped as an industrial park. No matter how sensitively this zone is landscaped, something will inevitably be lost: the connection between an outstanding group of aviation buildings and the aeroplanes which took off and landed in front of them. Aviation is abandoning the original airport, but the buildings remain as testaments to Liverpool's involvement in the Golden Age of Flying.

Roger Bowdler
Historian, English Heritage

Automne 1999 : l'équipe de l'entreprise Balfour Beatty devant le hangar n° 1 dont la reconversion en centre de loisirs s'achève. Une paroi vitrée, construite derrière les portes du hangar, laissées ouvertes, éclairera une piscine.

Autumn 1999: members of the Balfour Beatty team in front of hangar n° 1. Its transformation into a David Lloyd tennis and fitness centre was completed in 2000. Behind the hangar doors, left open, a glass curtain wall will bring light into the indoor swimming pool.

Herbst 1999: Mitarbeiter des Unternehmens Balfour Beatty vor dem Hangar Nr. 1. Sein Umbau in ein Freizeitzentrum wurde kürzlich abgeschlossen. Durch die Glaswand hinter den offenen Hangartüren fällt das Tageslicht auf das Schwimmbad.

Was bringt die Zukunft?

Heute sieht die Zukunft von Speke besser aus. Das Gelände gehört jetzt der Speke-Garston Development Company, der die Aufgabe zufällt das Gebiet wirtschaftlich auszubauen und in erster Linie neue Arbeitsplätze zu schaffen. Die Gesellschaft bemüht sich auch, eine neue Nutzung für den ehemaligen Flughafen zu finden. Der Haupteingang des Geländes wurde bereits restauriert, der Hangar Nr. 1 in ein Freizeitzentrum mit Tennisplätzen und Schwimmbad umgebaut und am Anfang dieses Jahres eröffnet. Für den Hangar Nr. 2 werden mehrere wirtschaftliche Verwendungsmöglichkeiten untersucht. Das Terminal soll in ein Luxushotel umgewandelt werden, mit einem Konferenzzentrum und neuen Flügeln auf der Stadtseite. Das Vorfeld bleibt erhalten, während auf dem Flugfeld ein Industriegelände geplant ist. Trotz des umsichtigen Vorgehens bei der Umstrukturierung wird ein Aspekt doch unwiederbringlich verloren gehen: Der Zusammenhang zwischen der Landschaft, den an den Boden gebundenen Gebäuden und den Bewegungen der an – und abfliegenden Flugzeuge. Aber auch wenn hier keine Flugzeuge mehr landen werden – die Gebäude werden überleben und bezeugen, daß Liverpool in das goldene Zeitalter der kommerziellen Luftfahrt investiert hat.

Roger Bowdler
Historiker, English Heritage

Préfiguration de l'aspect des bâtiments après la transformation de l'aérogare en hôtel de luxe.

Artist's impression of the airport buildings after the conversion of the terminal into a four-star hotel.

Ansicht der Flughafengebäude nach dem Umbau des Empfangsgebäudes in ein Luxushotel.

Paris

Le Bourget

L'entrée principale de l'aéroport sur la route des Flandres, vers 1925. Au fond, le bâtiment de direction, surmonté d'une horloge, à la manière d'une gare ferroviaire ; à droite, le pavillon Paul Bert, destiné aux examens physiologiques des pilotes.

The main entrance to the airport on the *route des Flandres*, in the mid-twenties. In the centre, the airport's administration building is surmounted by a clock, like a railway station; to the right, the Paul Bert pavilion was originally a centre for pilots' medical examinations.

Der Haupteingang von Le Bourget an der Route des Flandres, um 1925. In der Mitte das Gebäude der Flughafenleitung mit einer Uhr, wie bei einem Bahnhof; rechts der Pavillon Paul Bert, der für die ärztliche Betreuung der Piloten benutzt wurde.

Trafic devant la nouvelle aérogare en 1938, par Albert Brenet, peintre officiel des trois armées, observateur attentif des nouvelles technologies. Sur l'aire d'embarquement, au premier plan, un Savoya-Marchetti-83 de la compagnie belge Sabena ; au-dessus, un Junkers-JU 52 de la Luft-Hansa et, à droite, un Lockheed Electra de British Airways. Gouache par Albert Brenet, 1938, Le Bourget, musée de l'Air et de l'Espace.

Painting by Albert Brenet, official artist of the French army, navy and air force, showing traffic in front of the control tower of the new terminal in 1938. On the apron, in the foreground, a Savoya-Marchetti-83 of the Belgian Sabena company, a Luft-Hansa Junkers-JU 52 and, to the right, a British Airways Lockheed Electra.

Verkehr vor dem neuen Empfangsgebäude im Jahre 1938, Gemälde von Albert Brenet, dem offiziellen Maler der französischen Armee. Auf dem Vorfeld im Vordergrund eine Savoya-Marchetti-83 der belgischen Gesellschaft Sabena, dahinter eine Junkers-Ju 52 der Luft-Hansa und rechts eine Lockheed Electra von British Airways.

Photo aérienne directe de l'aéroport du Bourget
vers 1990. Au nord, la piste est-ouest, longue de
trois kilomètres ; au sud de celle-ci, la piste allemande, première piste bétonnée, datant de la
Seconde Guerre mondiale ; coupée par l'autoroute
du Nord, la commune du Bourget, au sud du
terrain, est densément urbanisée.

Direct aerial photo of the airport in about 1990.
To the north, the east-west runway is three kilo-
metres long; immediately below it, the German
runway, dating from the Second World War, was
the first concrete runway on the airfield. To the
south, the autoroute du Nord cuts through the
densely built-up urban fabric of Le Bourget.

Luftaufnahme des Flughafens, um 1990. Im Norden sieht man die drei Kilometer lange ost-west-
liche Start- und Landebahn. Direkt darunter die
aus dem Krieg stammende „deutsche" Start- und
Landebahn, die erste mit Zementbelag. Im Süden
zieht die Autoroute du Nord eine Schneise durch
den dicht besiedelten Vorort Le Bourget.

Façade de l'aérogare en 1999, après la réhabilitation de l'esplanade avec, au centre, le monument « Au pilote d'essais et à l'équipage », par Paul Lengellé, 1957. En bas, vue générale depuis le terrain avec des avions des collections du musée de l'Air et de l'Espace au premier plan.

Elevation of the terminal in 1999, shortly after the restoration of the esplanade. The monument, dedicated to test pilots and their ground crews, is by Paul Lengellé and dates from 1957. Below, a general view of the terminal from the runway side with aircraft from the collections of the Musée de l'Air et de l'Espace in the foreground.

Ansicht des Empfangsgebäudes 1999, kurz nach der Restaurierung des Vorplatzes. Das 1957 von Paul Lengellé entworfene Denkmal ist den Testpiloten und ihren Mannschaften gewidmet. Unten eine Gesamtansicht vom Flugfeld aus mit Flugzeugen der Sammlung des Musée de l'Air et de l'Espace.

Depuis la tour de contrôle, la partie nord de l'aérogare et les hangars Lossier. Les toits-terrasses des bâtiments construits vers 1970 s'étendent vers les pistes.

View from in front of the control tower, looking north towards the Lossier hangars. On the ground, the roofs of later additions to the terminal, which have encroached upon the apron.

Der Nordteil des Empfangsgebäudes mit den um 1970 hinzugefügten Vorbauten vom Kontrollturm aus gesehen ; im Hintergrund die Lossier-Hangars.

1

2

1. 2. Deux vues de la tour de contrôle, 1999.
Two views of the control tower, 1999.
Zwei Ansichten des Kontrollturms, 1999.

L'un des hangars Lossier, avec détails de la charpente en béton armé et d'une porte coulissante.

One of the Lossier hangars with details of its reinforced concrete roof structure and a sliding door.

Einer der Lossier-Hangars mit Details seiner Stahlbetondecke und einer Schiebetür.

Les cinq hangars Lossier.
The five Lossier hangars.
Die fünf Lossier-Hangars.

AERO SERVICES

LPA LA PEINTURE AERONAUTIQUE

Les hangars Lossier vus depuis la toiture du pavillon Paul Bert et, au premier plan, l'ancien pavillon de logement du commandant du port aérien, datant également des années vingt.

View of the Lossier hangars from the roof of the Paul Bert pavilion. In the foreground, another surviving structure from the 'twenties, originally the airport commander's quarters.

Die Lossier-Hangars vom Dach des Pavillons Paul Bert aus gesehen. Im Vordergrund das ehemalige Wohnhaus des Flughafenkommandanten, ein weiteres Überbleibsel aus den 20er Jahren.

1

2

3

1. Le premier musée de l'Air aménagé entre les deux guerres à Chalais-Meudon dans un hangar de 1916 ayant servi d'atelier de fabrication de nacelles d'osier pour les ballons.

During the inter-war period, the collections of the museum were housed in a 1916 hangar at Chalais-Meudon, originally used for the production of wicker baskets for balloons.

Das erste Museum wurde zwischen den beiden Kriegen in einem Hangar von 1916 in Chalais-Meudon untergebracht, in dem ursprünglich Körbe für Ballonflüge hergestellt wurden.

2. 3. 4. L'intérieur de l'aérogare de Labro en 1999 ; il a été transformé en musée par l'architecte Christian Marchant en 1986.

General views of the interior of Labro's terminal in 1999, showing the museum display designed by Christian Marchant, as installed in 1986.

Das Innere des Empfangsgebäudes von Georges Labro im Jahre 1999, das vom Architekten Christian Marchant 1986 in ein Museum umgebaut wurde.

4

« À l'honneur de ceux qui tentèrent et de celui qui a accompli, Nungesser-Coli, Lindbergh, 1927, New York-Paris ». Sculpture par Gustave Michel sur l'esplanade de l'aérogare commémorant les premiers vols entre la France et les États-Unis, inaugurée le 8 mai 1928.

'In honour of those who tried and he who succeeded, Nungesser-Coli, Lindbergh, 1927, New York-Paris'. On the esplanade in front of the airport, this sculpture by Gustave Michel, unveiled on 8 May 1928 commemorates the first transatlantic flights between France and the United States.

„Zu Ehren derer, die es versuchten, und desjenigen, dem es gelang, Nungesser-Coli, Lindbergh, 1927, New York-Paris". Dieses am 8. Mai 1928 eingeweihte Denkmal von Gustave Michel vor dem Empfangsgebäude erinnert an die ersten Flüge zwischen Frankreich und den Vereinigten Staaten.

« Sous le Bessonneau ». La société Bessonneau, d'Angers, a fourni pendant la Première Guerre mondiale des milliers de ces hangars démontables. Dessin de Marcel Jeanjean in *Sous les cocardes*, Hachette, Paris, 1919.

"In the Bessonneau hangar". During the First World War, the Bessonneau firm, based at Angers, provided thousands of these portable hangars.

„Im Bessonneau-Hangar". Während des Ersten Weltkriegs lieferte das Unternehmen Bessonneau aus Angers Tausende dieser demontierbaren Hangars.

Évoquer l'aéroport du Bourget, c'est se remémorer les épisodes de la glorieuse épopée de l'aéronautique : le décollage sans retour, le 8 mai 1927, de l'*Oiseau blanc* de Charles Nungesser et François Coli; la première traversée New York-Paris réussie par Charles Lindbergh dans son *Spirit of Saint Louis*, et son accueil délirant au Bourget, le 21 mai 1927, par la foule parisienne; l'envol pour New York, en septembre 1930, du *Point-d'interrogation* de Dieudonné Costes et Maurice Bellonte; Jean Mermoz, en mai 1933, en provenance d'Amérique du Sud, descendant de son *Arc-en-Ciel*... Mais Le Bourget témoigne, plus largement, du siècle de l'aviation, depuis la Première Guerre mondiale jusqu'aux avions des guerres de demain, présentés en vol lors du Salon international de l'aéronautique qu'il accueille tous les deux ans depuis 1953.

En octobre 1914, le général Galliéni, gouverneur militaire de Paris, réquisitionne une prairie située entre les villages de Dugny et du Bourget, à une douzaine de kilomètres au nord de Paris, afin d'y établir une base pour des avions destinés à combattre les bombardiers allemands.

En septembre 1914, déjà, c'est grâce aux missions de reconnaissance d'appareils partis de ce champ qu'avait pu être lancée l'opération des « taxis de la Marne », décisive pour arrêter l'avancée des Allemands vers la capitale. La base, qui subit ses premières attaques aériennes en mai 1915, compte une centaine d'avions à la fin de la guerre.

In France, Le Bourget is a name which conjures up recollections of the heroic age of aviation. On 8 May 1927 Charles Nungesser and François Coli took off from Le Bourget in their Levasseur monoplane, *L'Oiseau-blanc*, never to be seen again. Charles Lindbergh landed there on 21 May 1927 in *The Spirit of Saint-Louis*, greeted as a conquering hero by thousands of Parisians after the first crossing from New York to Paris. In September 1930 Dieudonné Costes and Maurice Bellonte set off across the Atlantic in the opposite direction in their *Point-d'interrogation*. In May 1933 Jean Mermoz in his *Arc-en-Ciel* flew in from South America. But, more than these memories of celebrated aviators, the airport at Le Bourget also bears witness to the whole century of aviation, from the beginning of the First World War up to the demonstration flights by tomorrow's war planes at the international air show held at the airfield every two years since 1953.

In October 1914 the military governor of Paris, General Galliéni, requisitioned a plateau situated between the villages of Dugny and Le Bourget, eight miles north of Paris, in order to create a military airfield for the protection of the capital against German bombers. Already, in September 1914, this field had been used by reconnaissance aircraft. The improvised but decisive 'taxis of the Marne' operation, ferrying troops to the front to check the German advance, had resulted from information collected by these planes. The airfield, which suffered its first air raids in May 1915, had about a hundred aircraft in service by the end of the war.

Commercial aviation at Le Bourget

Only a few months after the Armistice the field was used for the first commercial flights between Paris and London. In September 1919 a ministerial decree officially confirmed Le Bourget's new role and attributed part of the military airfield to the *Service de la navigation aérienne*, responsible for organising the country's airways and co-ordinating its commercial airlines. The year 1919 marks the birth of commercial air transport in France and the appearance of Le Bourget, designated as the country's first 'air port', on the international aeronautical scene.

The companies which began to operate from Le Bourget at first used the infrastructures dating from the war: 'Adrian'-type huts, 'Bessonneau'-type tented hangars on timber frames and a few metal-framed airsheds left by the Americans. But the

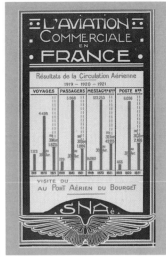

In Frankreich weckt der Name Le Bourget Erinnerungen an die ruhmreiche Zeit der Luftfahrt: Hier hob der *Oiseau Blanc* von Charles Nungesser und François Coli am 8. Mai 1927 ab und wurde nie mehr gesehen; hier wurde Charles Lindbergh am 21. Mai 1927 nach seiner ersten Atlantiküberquerung New York-Paris in seinem *Spirit of Saint-Louis* von der Pariser Bevölkerung begeistert empfangen; in der umgekehrten Richtung starteten Dieudonné Costes und Maurice Bellonte im *Point-d'interrogation* im September 1930 nach New York; Jean Mermoz stieg im Mai 1933, aus Südamerika kommend, aus seinem *Arc-en-Ciel* …
Aber Le Bourget zeugt auch von dem gesamten Jahrhundert der Luftfahrt, vom ersten Weltkrieg bis zu den Kampfflugzeugen von morgen, die seit 1953 alle zwei Jahre auf einem internationalen Luftfahrtsalon im Flug vorgeführt werden.
Im Oktober 1914 beschlagnahmte der Militärgouverneur von Paris, General Galliéni, eine Wiese zwischen den Ortschaften Dugny und Le Bourget, etwa zwölf Kilometer nördlich von Paris, um dort einen Stützpunkt für die Flugzeuge einzurichten, die Paris vor den deutschen Bombern schützen sollten. Bereits im September 1914 ermöglichten von dort gestartete Aufklärungsflüge die Operation der „Taxis der Marne", mit der es gelang, den deutschen Vormarsch auf Paris zu stoppen. Der Stützpunkt, der im Mai 1915 die ersten Luftangriffe erlebte, zählte bei Kriegsende ungefähr hundert Flugzeuge.

Le Bourget und die kommerzielle Luftfahrt

Einige Monate nach dem Waffenstillstand starten von hier die ersten Flüge von Paris nach London. Im September 1919 wird die Nutzung von Le Bourget für die zivile Luftfahrt durch ein Ministerialdekret offiziell anerkannt und sein östlicher Teil dem „Service de la navigation aérienne" zugeteilt, der die französischen Luftwege einrichten und kontrollieren soll. Das Jahr 1919 ist auch das Jahr der Entstehung der kommerziellen Luftfahrt Frankreichs, wobei Le Bourget gleichzeitig als wichtigster Flughafen des Landes auf der internationalen Bühne erscheint.

Die verschiedenen von dort operierenden Gesellschaften nutzen zunächst die militärische Infrastruktur: Baracken vom Typ „Adrian" aus Brettern, Stoffhangars auf Holzkonstruktionen, „Bessonneau" genannt, und ein paar Hangars aus Metall, die von

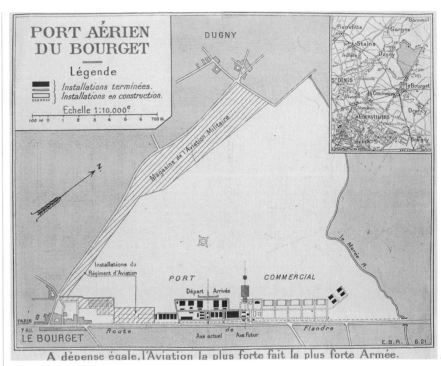

den Amerikanern zurückgelassen wurden. Schon bald wird jedoch klar, daß die kommerzielle Luftfahrt eigene Einrichtungen benötigt, um den Bedürfnissen der Passagiere zu entsprechen und eine bessere Unterbringung und Wartung der Flugzeuge zu garantieren. 1920 übernehmen die Ingenieure der „Ponts et Chaussées" Terisse und Rumpler, zusammen mit dem Architekten Henri Decaux, die Gesamtplanung für den kommerziellen Flughafen. Die neuen Gebäude sollen am Rande des Geländes entstehen, entlang der Route de Flandres, die Le Bourget mit Paris verbindet. Der Ingenieur Henry Lossier wird mit der Errichtung von fünf großzügig bemessenen Hangars aus Stahlbeton beauftragt – 15 Meter hoch, 36 Meter lang und 50 Meter breit –, von denen jeder 6 Linienflugzeuge aufnehmen kann. Vor diesen 1922 fertiggestellten Bauten wird der Boden zementiert um als Stellplatz und zum Manövrieren der Flugzeuge zu dienen. Zwischen den beiden Hangargruppen, der von Lossier im Norden und den sechs Metallhangars im Süden, befinden sich die Empfangsgebäude, die bereits 1924 einsatzbereit sind. Sie bestehen aus mehreren, um einen Garten gruppierten Pavillons, von denen jeder einen bestimmten Zweck erfüllt: Flughafenleitung, Zoll, Restaurant, Wetter- und Telegrammdienst, physiologisches Studienzentrum…

1. Vers 1925 : les brouettes, chariots et escabeaux servent au chargement des avions ; sur la terrasse les spectateurs assistent au vol d'un Potez-15, avion d'observation dépendant de la base militaire de Dugny.

The air-port in the mid-twenties. The luggage trolleys and ladders were used for loading and unloading aircraft; the spectators on the rooftop of the restaurant building watch a Potez-15 heading for the base on the Dugny side of the airfield.

Le Bourget um 1925: Handkarren und Leitern werden zum Beladen der Flugzeuge benutzt. Die Zuschauer versammeln sich auf dem Dach des Restaurants, um ein Potez-15, ein Aufklärungsflugzeug zu beobachten, das zum Militärflughafen von Dugny gehört.

2. La manutention des bagages, devant le pavillon de la douane. Créée en 1923, Air-Union (propriétaire du chariot au centre) était l'une des cinq sociétés dont la fusion en 1933 donna naissance à Air France. Photo Michaud, vers 1920.

Baggage-handling, near the building of the customs services. Founded in 1923, Air-Union (owner of the trolley in the centre of the photo) was one of the five companies brought together in 1933 to make up Air France. Photo Michaud, around 1920.

Gepäck vor dem Zollgebäude. Air-Union, die 1923 gegründet wurde (und der der Handkarren in der Mitte gehört), war eine der fünf Gesellschaften, aus denen 1933 Air France entstand. Foto Michaud, um 1920.

Le Bourget et l'aviation commerciale

Quelques mois après l'armistice, le terrain sert aux premières liaisons Paris-Londres. En septembre 1919, un décret ministériel reconnaît officiellement la vocation civile du Bourget en affectant sa partie est au service de la Navigation aérienne, à charge pour lui d'organiser les routes aériennes françaises et d'en surveiller l'exploitation. L'année 1919 marque ainsi la naissance du transport aérien commercial et l'émergence sur la scène internationale du Bourget, désigné comme premier « port aérien » français.

Les différentes compagnies qui s'y installent profitent dans un premier temps des

infrastructures militaires : baraquements « Adrian » en planches, hangars en toile sur charpente en bois dits « Bessonneau » et quelques hangars métalliques laissés par les Américains. Bientôt, pourtant, le besoin se fait sentir d'équipements spécifiques, afin d'améliorer l'accueil des passagers ainsi que de permettre le garage et un meilleur entretien des appareils. En 1920, Terrisse et Rumpler, deux ingénieurs des Ponts et Chaussées, établissent en collaboration avec l'architecte Henri Decaux un programme d'aménagement global du port aérien commercial qui bordera le terrain de vol le long de la route des Flandres, qui relie Le Bourget à Paris. Ils confient à leur confrère l'ingénieur Henry Lossier l'édification de cinq hangars en béton armé, très largement dimensionnés – 15 mètres de haut, 36 mètres de profondeur et 50 mètres d'ouverture – pouvant chacun abriter six avions de ligne. Ces structures, achevées en 1922, donnent sur une aire bétonnée pour le stationnement et les manœuvres des avions au sol. Entre les deux séries de hangars – ceux de Lossier au nord et six hangars métalliques au sud – vient s'insérer l'« aéro-gare ». Celle-ci, opérationnelle en 1924, est composée de plusieurs pavillons aux affectations précises, disposés autour d'un jardin : direction, douane, buffet, services météorologiques et télégraphiques, centre d'études physiologiques...

Les concepteurs de 1920 pensaient voir large ; la taille de ce premier « plus grand aéro-port du monde » ainsi que son coût (20 millions de francs) ont d'ailleurs suscité de vives critiques, vite démenties par les faits : on passe de 740 passagers en 1919 à 8 000 en 1924 et 45 000 en 1929... Le fret – des colis de « chaussures de chez Clouet pour Rudolf Valentino » et autres articles de luxe – connaît également un développement spectaculaire, surtout dans le sens Paris-Londres.

Depuis Paris, l'aéroport n'est accessible que par la route. Dès la fin des années vingt, on parle de la réalisation d'une « autostrade » particulière, l'autoroute du Nord, qui ne verra le jour que bien après la Seconde Guerre mondiale. En raison de son relatif éloignement de la capitale, le fonctionnement et la fréquentation de l'aéroport génèrent de nombreuses constructions sur le territoire des communes du Bourget et du Blanc-Mesnil : hôtels, commerces et cités de logements destinés au personnel travaillant sur place.

commercial traffic soon required its own installations to accommodate the needs of the passengers and to rationalise the shelter and maintenance of the aircraft. In 1920 Terrisse and Rumpler, two engineers from the Ponts et Chaussées corps, were entrusted with the design of a commercial airport which was to be installed along the edge of the flying field, parallel to the *route des Flandres* which links Le Bourget to Paris. The civil engineer Henry Lossier was responsible for the construction of five reinforced concrete hangars hired out to the companies. Measuring 118 feet by 164 feet, and 50 feet high at the centre, each of these hangars was large enough to shelter six aircraft. Completed in 1922 they were surrounded by a hard surface for parking and manoeuvring the aircraft.

Between the two rows of hangars–Lossier's constructions to the north and six metal-framed hangars to the south–were constructed the first terminal facilities, the *aéro-gare*. Opened in 1924 these facilities comprised several pavilions arranged around a garden, each with a specific function: administration, passport and customs control, a restaurant, weather and telegraph services, a centre for physiological examinations and a house for the airport commander.

A new airport

In 1920 the designers of the airport thought they were doing things on a grand scale and indeed the size of this very first 'largest air-port in the world', and its cost (20 million francs), came in for criticism. But rapidly growing traffic soon silenced the critics. From 740 in 1919 the number of passengers rose to 8,000 in 1924 and 45,000 in 1929. Freight carrying also developed, with luxury items such as robes from the Paris fashion houses or 'shoes by Clouet for Rudolf Valentino' being flown from France to England.

To reach the airport from Paris there was only a road link. From an early date there was talk of constructing a special *autostrade* but this motorway (the autoroute du Nord) was not in fact built until after the Second World War. Because of the relative distance from Paris, the running of the airport and the numbers of visitors frequenting it gave rise to much new development in the immediate vicinity, with buildings such as hotels, shops, cafes and housing estates.

By the end of the twenties all the original Lossier hangars had been enlarged. In 1935 the Air Ministry

Die Erbauer von 1920 waren überzeugt, großzügig geplant zu haben: Die Ausmaße dieses „größten Flughafens der Welt", wie auch die Kosten von 20 Millionen Francs wurden dann auch scharf kritisiert, aber angesichts der steigenden Passagierzahlen verstummte die Kritik bald: Von 740 Passagieren im Jahr 1919 stieg die Zahl 1924 auf 8 000 und 1929 auf 45 000… Das Frachtgeschäft – Päckchen mit „Schuhen von Clouet für Rudolf Valentino" und andere Luxusartikel – erlebte ebenfalls einen spektakulären Aufschwung, vor allem auf der Linie Paris-London.

Von Paris aus kann der Flughafen nur über die Straße erreicht werden. Schon Ende der 20er Jahre spricht man von der Errichtung einer speziellen Autobahn, der „Autoroute du Nord", die aber erst nach dem Zweiten Weltkrieg verwirklicht wird. Durch den Betrieb des Flughafens und die steigenden Besucherzahlen und aufgrund der relativ großen Entfernung von der Hauptstadt entstehen in den Kommunen Le Bourget und Le Blanc-Mesnil zahlreiche Bauten: Hotels, Geschäfte, Cafés sowie Wohnanlagen für das Personal des Flughafens.

Das neue Empfangsgebäude

Schon Ende der 20er Jahre verdoppelt man die Tiefe der Hangars von Lossier. 1935 beschließt das Luftfahrtministerium, Le Bourget definitiv zum Standort des Pariser Flughafens zu erklären und schreibt den Bau eines neuen Flughafengebäudes aus. Die Bauzeit ist sehr knapp bemessen, denn die Einweihung des Gebäudes soll gleichzeitig mit der für Mai 1937 geplanten Eröffnung der Weltausstellung stattfinden. Öfter als den Namen des Gewinners, Georges Labro, findet man in der geschriebenen Architekturgeschichte die Namen der Autoren von seinerzeit abgelehnten Projekten: Robert Mallet-Stevens, Georges-Henri Pingusson, Eugène Beaudouin und Marcel Lods.

Gewinner des „Second Grand Prix de Rome" und Architekt der Postverwaltung, wo er sich seit 1928 mit dem Bau von öffentlichen Gebäuden vertraut machen konnte, arbeitet Labro gemäß dem Ausschreibungsprogramm mit einem Bauunternehmen zusammen, der „Société nouvelle de Constructions et de Travaux". Labro verwendet, wie es das Programm nahelegt, einen in den 20er und 30er Jahren bereits bestehenden Bautyp: ein einziges Gebäude, das alle notwendigen

1. Vers 1924 : au premier plan, les hangars Lossier et les pavillons de l'aérogare puis, vers le sud, d'autres hangars à charpente métallique. Les aires d'embarquement et de manœuvres sont recouvertes de pavés en aggloméré de ciment.

Aerial view of the airport circa 1924, with the Lossier hangars and the terminal pavilions in the foreground, and several other metal-framed hangars beyond, to the south. The aprons have a hard surface of pre-cast cement paving stones.

Ansicht des Flughafengeländes, um 1924. Im Vordergrund die Lossier-Hangars und die verschiedenen Pavillons des Flughafens, weiter südlich mehrere Metallhangars. Das Vorfeld ist mit vorgefertigten Zementsteinen gepflastert.

2. Avions commerciaux sur l'aire d'embarquement lors de la Journée de l'aéronautique marchande, le 30 avril 1933. Les hangars ont été agrandis (travées portant la publicité Mobiloil) ; de l'autre côté de la route des Flandres, les communes du Blanc-Mesnil et du Bourget restent peu urbanisées.

Commercial aircraft lined up on the apron for the Journée de l'Aéronautique marchande, the Day of the Merchant Air Force, 30 April 1933. The hangars have been enlarged (extension with the Mobiloil advert). On the other side of the road, the communes of Blanc-Mesnil and Le Bourget are still relatively undeveloped.

Kommerzielle Flugzeuge auf dem Vorfeld anläßlich der „Journée de l'Aéronautique marchande", dem Tag der Handelsluftfahrt, am 30. April 1933. Die Hangars sind erweitert worden (Gebäudeteil mit der Mobiloil-Reklame). Auf der anderen Seite der Straße sind die Gemeinden von Blanc-Mesnil und Le Bourget noch relativ wenig erschlossen.

Menu du restaurant dans les années vingt.

Menu of the airport restaurant in the 'twenties.

Speisekarte des Flughafenrestaurants in den 20er Jahren.

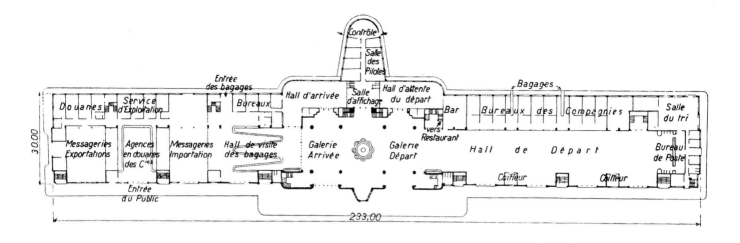

Plan du rez-de-chaussée de la nouvelle aérogare de Georges Labro, 1937. *Encyclopédie de l'Architecture, Transports en commun, Aéroports, Paris, Éditions Albert Morancé, s. d., vers 1938.*

Ground floor plan of the new terminal by Georges Labro, 1937.

Grundriß des Erdgeschosses des neuen Empfangs-gebäudes von Georges Labro, 1937.

Une nouvelle aérogare

Dès la fin des années vingt, tous les hangars Lossier sont doublés en profondeur. En 1935, le ministère de l'Air, retenant définitivement le site du Bourget pour l'aéroport de Paris, décide d'ouvrir un concours public pour la construction d'une nouvelle aérogare. Les délais d'exécution sont très serrés car l'inauguration de l'édifice doit correspondre à l'ouverture de l'Exposition internationale, en mai 1937. Parmi les projets écartés figurent ceux de Robert Mallet-Stevens, Georges-Henri Pingusson, ainsi que celui d'Eugène Beaudouin et de Marcel Lods dont l'histoire de l'architecture a retenu les noms, oubliant presque celui du lauréat, Georges Labro.

Second Grand Prix de Rome et architecte de l'administration des Postes où, depuis 1928, il a pu se familiariser avec la construction publique, Labro est associé, d'après les termes du concours, à un entrepreneur général, la Société nouvelle de Constructions et de Travaux. Suivant les recommandations du programme, il adopte une typologie déjà internationale : pour en finir avec le système des pavillons, il regroupe tous les services en un bâtiment unique, une simple barre rectiligne de 233 mètres de long sur 30 mètres de large, parallèle au terrain entre les deux alignements de hangars. Du « port aérien » des années vingt, seuls deux pavillons sont conservés : celui du commandant du port et le pavillon médical, dit Paul Bert.

Côté ville, les abords de l'aérogare sont aménagés en parcs de stationnement pour les voitures, de larges allées permettant une circulation facile. Pour marquer l'entrée depuis la route des Flandres, la cour « d'honneur », qui reçoit quelques plates-bandes et parterres de gazon, est flanquée de deux nouveaux pavillons. La longue façade basse de l'aérogare est rythmée par des travées largement vitrées où alternent grandes baies horizontales et petites baies carrées. Celles-ci éclairent les cages d'escalier intérieures qui se développent de chaque côté d'un grand hall à éclairage zénithal. Le principe de composition retenu permettait d'envisager une extension de l'aérogare par adjonction de nouvelles travées standard à ses extrémités. Dans l'axe de la façade urbaine, un corps vertical aveugle, légèrement en saillie, sépare l'arrivée, à gauche, du départ, à droite ; il est orné des

decided to retain Le Bourget as the definitive site for the Paris airport and launched an open competition for the design of a new terminal building. The timetable was tight since the inauguration of this building was to coincide with the opening of the International Exhibition in Paris in May 1937. Amongst the candidates for the competition, architectural history is more familiar with the names of the authors of several of the projects turned down (Rob Mallet-Stevens, Georges-Henri Pingusson, Eugène Beaudouin and Marcel Lods) than with the name of the prize-winner, Georges Labro.

Labro had worked since 1928 as an architect for the French postal administration, a position where he had become familiar with the design and execution of public buildings. According to the terms of the competition, he was associated with a general building contractor, the Société Nouvelle de Constructions et de Travaux. Also in keeping with the programme outlined in the competition, Labro's project adopted the typology already defined during the twenties and early thirties, that is to say a single building integrating all the airport's functions under one roof. This was the end of the individual pavilions, only two of which were retained: the Paul Bert medical pavilion and that of the airport commander. Labro's new terminal was a simple, rectangular construction, 764 feet long by 98 feet wide. Parallel to the flying field, it replaced the other pavilions between the rows of hangars.

On the landside of the building, car parks with broad alleys were laid out for private vehicles, coaches and taxis. The entrance on the *route des Flandres* was flanked by two symmetrical buildings behind which the central part of the courtyard was decorated with small lawns. The long, low elevation of the terminal building comprises large glazed surfaces, horizontal openings alternating with small square ones. The latter light the staircases inside the building, situated on either side of a spacious central hall. The design principle allowed for the extension of the building by the simple addition of extra bays at either end. In the centre of the composition a vertical surface projects slightly from the facade, separating the arrivals, to the left, from the departures, on the right. In the manner of a railway station, this part of the building was originally decorated with the coats of arms of the cities to be reached from Le Bourget: Brussels, Berlin, London, Rome, Buenos-Aires, New York… This decor was

Projet de Dondel, Aubert, Viard et Dastugue pour la nouvelle aérogare (mis hors concours pour dépassement de crédits), perspective intérieure, 1936. Fonds Dondel, AN/IFA, Paris.

Interior perspective of the project for the new terminal, presented by the architects Dondel, Aubert, Viard and Dastugue in 1936 (this particular project was rejected for exceeding the budget).

Projekt von Dondel, Aubert, Viard und Dastugue für das neue Empfangsgebäude (es wurde wegen Budgetüberschreitung abgelehnt), Innenansicht, 1936.

Funktionen unter einem Dach vereinigt. Es handelt sich dabei um einen schlichten geradlinigen Langbau, der 223 Meter lang und 30 Meter breit ist und sich parallel zum Gelände zwischen den beiden Hangarreihen erhebt. Von den Empfangsgebäuden der 20er Jahre bleiben nur zwei Pavillons erhalten.

Auf der Stadtseite entstehen Parkplätze für die Autos, mit breiten Alleen, um den Verkehr zu erleichtern. Zwei neue Eingangspavillons zu beiden Seiten des mit kleinen Rasenflächen gezierten Ehrenhofs markieren die Zufahrt von der *Route des Flandres*. Die lange niedrige Fassade des Gebäudes wird durch große Glasflächen in Joche gegliedert. Weite horizontale und kleine quadratische Öffnungen wechseln sich ab. Die letzteren erhellen die Treppenhäuser, die sich auf jeder Seite der großen, von oben beleuchteten Empfangshalle befinden. Dieses Prinzip der Gliederung machte eine Erweiterung des Gebäudes durch gleichartige Joche auf beiden Seiten möglich. In der Mitte der Stadtfassade trennt eine leicht vorkragende vertikale Fläche den Ankunftsbereich auf der linken, vom Abflugsbereich auf der rechten Seite. Die anfänglich darauf abgebildeten Stadtwappen der angeflogenen Städte (Brüssel, Berlin, London, Rom, Buenos Aires, New York…) wurden wenig später durch weibliche Statuen ersetzt, Allegorien der angeflogenen Ziele: Afrika, den Westen und Fernasien.

Das Gebäude besteht in seiner Gänze aus Stahlbeton, seine Fassaden sind mit weißem marmorähnlichem Kalkstein verkleidet. Auf der Flugfeldseite verwendet der Architekt den Dampfer-Stil, der seiner Ansicht nach für einen „Hafen der Luft" angemessen ist. Auf beiden Seiten des zentral gelegenen Kontrollturms, der bugförmig in das Vorfeld ragt, ist das Gebäude mit stufenförmigen und von Relings begrenzten Terrassen versehen, die die Zuschauermengen aufnehmen und so zur „Luftfahrtpropaganda" beitragen sollen, wie es ebenfalls im Programm der Ausschreibung vorgesehen war. Die imposante, in der Mitte des Gebäudes gelegene Empfangshalle, die ihr Licht durch drei Gewölbe aus Glasbausteinen erhält, führt direkt auf das Vorfeld. Acht kannelierte Säulen und eine zentrale Treppe gliedern die Halle. Die Seitenhallen verfügen über zwei Ebenen von Galerien, die zu verschiedenen Räumen führen. Der Südflügel des Gebäudes beherbergt die Zollbehörden, die

Gepäckabfertigung und die technischen und meteorologischen Abteilungen der Luftfahrtnavigation. Im nördlichen Teil sind die Empfangsräume für die Passagiere untergebracht: Schalter der Fluggesellschaften, Postamt, ein paar Geschäfte sowie eine Bar, ein Restaurant und ein Hotel.

Von der Einweihung bis zum Wiederaufbau nach 1945

Das Gebäude wird am 12. November 1937 vom Präsidenten der Republik, Albert Lebrun, eingeweiht. Zu spät für die Weltausstellung, aber Frankreichs, seiner Hauptstadt und des Ansehens seiner Luftfahrt würdig. Es hat jetzt die dem Passagieraufkommen angemessenen Dimensionen und fertigt 1938 etwa 140 000 Passagiere ab. Am 29. September gehört auch der Premierminister Edouard Daladier zu den Fluggästen; aber trotz

1. L'aérogare, côté terrain, et ses terrasses aménagées en vue de la « propagande aéronautique ». *Encyclopédie de l'Architecture, Transports en commun, Aéroports*, Paris, Éditions Albert Morancé, s. d., vers 1938.

Seen from the apron, the terminal building with its viewing terraces designed for "aeronautical propaganda".

Das Empfangsgebäude und seine Terrassen vom Vorfeld aus gesehen. Die Terrassen sollten der „Luftfahrtpropaganda" dienen.

2. L'inauguration de la nouvelle aérogare, vue aérienne prise le 12 novembre 1937. Photo Compagnie Aérienne Française, *Encyclopédie de l'Architecture, Transports en commun, Aéroports*, Paris, Éditions Albert Morancé, s.d., vers 1938.

The new terminal seen from the air on 12 November 1937, the day of the official opening ceremony.

Luftansicht des neuen Empfangsgebäudes vom 12. November 1937, dem Tag der offiziellen Einweihung.

3. L'entrée de l'aérogare en 1937, provisoirement ornée des blasons des villes desservies depuis le Bourget : Bruxelles, Amsterdam, Berlin, Moscou, Madrid, Londres, Varsovie, Belgrade, Rome, Prague, Bucarest, Buenos Aires et New York. *Encyclopédie de l'Architecture, Transports en commun, Aéroports*, Paris, Editions Albert Morancé, s.d. [vers 1938].

The main entrance to the terminal in 1937; the temporary decoration announces the following destinations, reached from Le Bourget: Brussels, Amsterdam, Berlin, Moscow, Madrid, London, Warsaw, Belgrade, Rome, Prague, Bucharest, Buenos-Aires and New York.

Der Eingang des Empfangsgebäudes im Jahre 1937, mit den provisorisch angebrachten Wappen der von Le Bourget aus angeflogenen Städte: Brüssel, Amsterdam, Berlin, Moskau, Madrid, London, Warschau, Belgrad, Rom, Prag, Bukarest, Buenos-Aires und New York.

Départ pour Londres des hommes politiques Ramsay MacDonald et Sir John Simon, à bord d'un Handley Page H. P. 42 d'Imperial Airways, 22 mars 1938.

22 March 1938: departure of Ramsay MacDonald and Sir John Simon for London, on board a Handley Page H.P. 42 biplane of Imperial Airways.

Die Politiker Ramsay MacDonald und Sir John Simon fliegen am 22. März 1938 mit einer Handley Page H.P. 42 der Imperial Airways nach London.

blasons des capitales lointaines desservies depuis Le Bourget (Bruxelles, Berlin, Londres, Rome, Buenos Aires, New York...). Ce décor inaugural sera remplacé peu après par des statues féminines, allégories des principales destinations desservies : Afrique, Occident, Extrême-Orient.

Le bâtiment est entièrement réalisé en béton armé mais ses façades sont revêtues de calcaire marbrier blanc. Côté terrain de vol, l'architecte se réfère explicitement au style « paquebot » adapté, selon lui, à un « port aérien ». De part et d'autre de la tour de contrôle centrale, s'avançant en proue sur l'aire de stationnement des avions, le bâtiment s'étage en gradins, garnis de bastingages, pour accueillir la foule des spectateurs et contribuer à la « propagande aéronautique », également inscrite au programme. L'imposant hall d'accueil central de l'aérogare, d'où l'on accède directement au terrain, est éclairé par trois voûtes en pavés de verre. Huit colonnes cannelées et un escalier central à double volée ordonnancent ce vestibule. De chaque côté, autour du vide des halls latéraux, des coursives distribuent sur deux niveaux les différents locaux. L'aile sud du bâtiment, vers Paris, est dévolue au service des Douanes, à la manutention des bagages et aux services techniques et météorologiques de la navigation aérienne ; la partie nord reçoit les services d'accueil des passagers : guichets des compagnies aériennes, bureau de poste, quelques commerces ainsi qu'un bar, un restaurant et un hôtel.

Hall de l'aérogare en 1937, peu avant l'inauguration. Au premier plan, les comptoirs pour l'inspection des bagages. *Encyclopédie de l'Architecture, Transports en commun, Aéroports*, Paris, Éditions Albert Morancé, Paris, s. d., vers 1938.

The hall of Labro's terminal in 1937, shortly before its opening, with the counters for customs baggage checks in the foreground.

Das Empfangsgebäude von Labro kurz vor seiner Eröffnung im Jahre 1937. Im Vordergrund die Zollschalter für die Gepäckuntersuchung.

replaced shortly after the opening ceremony by three statues of women, allegories for the destinations of the air routes leaving Le Bourget: Africa, the West and the Far-East.

The terminal, entirely built in reinforced concrete, is faced in white, marble-like limestone. On the airfield side, the architect adopted an ocean-liner style, thought to be suitable for this port of the air. On either side of the control tower, jutting out towards the flying field like the prow of a ship (or the nose of an aeroplane), the building has three railed terraces, intended for the crowds of spectators and contributing to the 'aeronautical propaganda' which was part of the competition brief. Inside, the imposing entrance hall in the centre of the building leads out directly onto the apron. It is lit from above by three semi-cylindrical vaults of glass paving. Eight ribbed columns and a central staircase with two broad flights of stairs mark this vestibule. On either side, the halls are lined by galleries on two levels, giving access to the various facilities. The south wing of the building is occupied by the customs, baggage-handling and the technical and meteorological services. The north wing is reserved for the processing of the passengers with the desks of the airline companies, a post office, a bar, a restaurant and a hotel.

From inauguration to reconstruction

The new terminal was officially opened on 12 November 1937 by the President of the Republic, Albert Lebrun, a little late for the Exhibition but worthy at last of the French capital and the prestige of its aviation. And it was at last large enough for the numbers of passengers using it, no fewer than 140,000 in 1938. Amongst these, on 29 September, there was the French Prime Minister, Edouard Daladier, returning from Munich with the announcement of a peace agreement...

Le Bourget suffered its first air raids in June 1940. The airport was occupied by the Luftwaffe which turned it into one of its main bases in the Battle of Britain. Under German occupation the airfield was enlarged to cover 230 acres and two concrete runways were built. From 1941 these were repeatedly targeted by allied bombing raids, the communities of Le Bourget and Dugny suffering much collateral damage. The runways were rapidly rebuilt by the Americans and the British after the Liberation. The Lossier hangars,

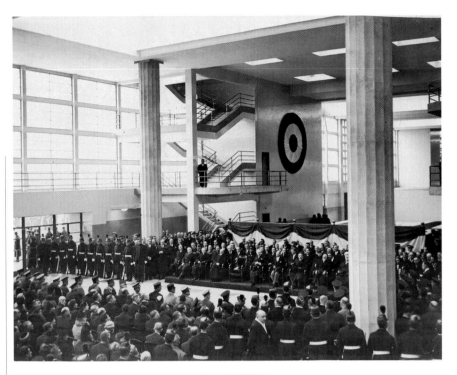

Le président de la République, Albert Lebrun, assis au centre, écoute le discours inaugural du ministre de l'Air, Pierre Cot ; 12 novembre 1937.

The President of the Republic, Albert Lebrun is sitting in the centre of the photo, taken during the inaugural speech by the Air Minister, Pierre Cot, 12 November 1937.

Die Eröffnung des neuen Empfangsgebäudes am 12. November 1937. Der Präsident Albert Lebrun (in der Mitte des Fotos, sitzend) hört der Ansprache des Luftfahrtministers Pierre Cot zu.

des gerade unterzeichneten Münchener Abkommens kann der Frieden nicht gerettet werden.

Im Juni 1940 wird le Bourget aus der Luft angegriffen und anschließend von der deutschen Luftwaffe besetzt, die den Flughafen als Basis für Angriffe auf England benutzt. Die Fläche des Fluggeländes wird auf 570 ha vergrößert und erhält zwei Betonbahnen. Ab 1941 wird Le Bourget mehrmals von den Alliierten bombardiert. Nach der Befreiung bessern Amerikaner und Briten die Start- und Landebahnen wieder aus. Die Hangars von Lossier, die die deutschen Truppen bei ihrem Abzug im August 1944 gesprengt haben, werden repariert. Zusammen mit der technischen Abteilung der 1945 gegründeten öffentlich-rechtlichen Anstalt „Aéroport de Paris", wird Labro beauftragt, Le Bourget in ursprünglicher Form wieder aufzubauen und das zerstörte Empfangsgebäude zu restaurieren. Die kommerzielle Luftfahrt nimmt ihre Aktivität kurz nach dem Krieg wieder auf. 1953, als ein neuer Kontrollturm errichtet wird, zählt Le Bourget bereits mehr als 600 000 Passagiere im Jahr und erreicht damit die Grenzen seiner Kapazität. Zu dieser Zeit wird der Verkehr mehr und mehr nach Orly umgeleitet, dem anderen Fluggelände aus dem Ersten Weltkrieg, etwa 10 Kilometer südlich von Paris gelegen. Orly wird zum neuen Flughafen von Paris erklärt. Das Flughafengebäude, heute Orly-Süd, wurde vom Architekten Henri Vicariot und seinen Mitarbeitern innerhalb der Aéroport de Paris konzipiert und realisiert. Das Gebäude, das direkt über eine von Beginn an vorgesehene Autobahn mit Paris verbunden ist, wurde 1961 von General de Gaulle eingeweiht.

Le Bourget heute

Bis zur Eröffnung eines dritten Flughafens in Roissy im Jahre 1977, starten in Le Bourget weiterhin Linienflugzeuge. Seitdem wird er für neue Zwecke der Luftfahrt genutzt: Der Nordteil, mit den Hangars von Lossier, wird für kleinere Geschäftsflüge und für Wartungseinrichtungen der Air France verwendet, während im Südteil alle zwei Jahre im Juni der internationale Luftfahrtsalon stattfindet. In Richtung Dugny werden einige Hangars immer noch, wenn auch in geringem Ausmaß, von der Armee genutzt.

Das Flughafengebäude von Labro und die altern Hangars im Süden beherbergen heute das nationale Luft- und Raumfahrtmuseum. Die sehr

L'escalier d'honneur au centre du hall. À gauche, la lettre E est la dernière du panneau « ARRIVÉE », 1937.

The main staircase of the terminal hall, 1937; to the left, the letter E is the last of the notice 'ARRIVÉE'.

Der Mittelteil der Halle mit der Ehrentreppe im Jahre 1937. Links, der letzte Buchstabe der Anzeige „ARRIVÉE".

Été 1938 : l'aérogare avec ses spectateurs d'une journée ordinaire. Au premier plan, un Bloch 220 d'Air France, en provenance de Londres.

Summer 1938. Spectators watch an ordinary airport day unfold... In the foreground, an Air France Bloch 220 with passengers arriving from London.

Sommer 1938: Ein normaler Tag in Le Bourget. Im Vordergrund eine Air France Bloch 220 mit Passagieren aus London.

L'aérogare en septembre 1944, après les bombardements de 1943 et 1944. On voit encore la peinture de camouflage dont l'édifice de Labro fut couvert pendant l'Occupation.

September 1944: the terminal after the air raids of 1943 and 1944. The camouflage, with which Labro's building was covered during the German occupation, is clearly visible.

Zustand des Empfangsgebäudes im September 1944, nach den Bombenangriffen von 1943 und 1944. Die Tarnfarbe, mit der das Gebäude von Labro während der deutschen Besatzung gestrichen wurde, ist deutlich zu erkennen.

De l'inauguration à la reconstruction

Inaugurée le 12 novembre 1937 par le président de la République Albert Lebrun, la nouvelle aérogare est en retard pour l'Exposition internationale mais digne du renom de la France et de sa capitale, du prestige de son aviation et de son administration. Elle est maintenant proportionnée au trafic de son temps et reçoit 140 000 passagers en 1938. Le 29 septembre, le Premier ministre Édouard Daladier est l'un de ces voyageurs : malgré les accords de Munich qu'il vient de signer, la paix ne sera pas sauvée.

Après avoir subi des raids aériens en juin 1940, Le Bourget est occupé par la Luftwaffe, qui en fait l'une de ses principales bases opérationnelles contre l'Angleterre. La superficie du terrain de vol, agrandie, atteint 570 hectares. Deux pistes cimentées sont construites. À partir de 1941, la base et les communes de Dugny et du Bourget seront touchées à plusieurs reprises par les bombardements alliés mais les pistes sont remises en état par les Américains et les Anglais dès la Libération ; les hangars Lossier, dynamités par les troupes allemandes sur le départ, fin août 1944, sont réparés. En association avec les services techniques de l'Aéroport de Paris (ADP), établissement public créé en 1945,

dynamited by the German troops as they left at the end of August 1944, were also quickly repaired. The architect Labro was subsequently entrusted with the reconstruction of the damaged terminal building, working in association with Aéroport de Paris (ADP), a public corporation created in 1945 to run the airports of the Paris region. Civil aviation developed again and by 1953, the date of the construction of Le Bourget's new control tower, the airport saw more than 600,000 passengers. Its capacities were soon exceeded and commercial traffic was progressively transferred to Orly, about seven miles south of the capital. This new Paris airport was another former military airfield dating from the First World War. Its prestigious terminal building (Orly-Sud today) was designed by the architect Henri Vicariot at ADP and inaugurated by General de Gaulle in February 1961. From the outset, a motorway was built to link it to the capital.

Le Bourget today

The airport at Le Bourget nonetheless retained some commercial traffic up until 1977 by which time a third Paris airport had been opened at Roissy. Since then Le Bourget has continued to be used for other aeronautical activities. Business flights make the airfield one of the busiest in Europe for this form of traffic and the northern part of the site is occupied by an industrial estate for firms associated with aviation. The five Lossier hangars are used by Air France for aircraft maintenance and repair work. Every two years, in June, the southern part of the airfield hosts the International Air and Space Salon, one of the most important events in the calendar of the aeronautical and arms markets. On the Dugny side of the field, a few hangars are still in military use and the Musée de l'Air et de l'Espace also has some workshop facilities for the restoration of its historic aeroplanes.

As for Labro's terminal building and the old hangars immediately next to it, these are occupied today by this national air and space museum. The remarkable collections of this museum (300 aircraft, 500 models, thousands of technical artefacts and an important documentary collection) date back to 1918. Shortly after the Armistice, an aviation repository was founded at the instigation of Albert Caquot, an important figure in the aeronautical and civil engineering worlds between the two wars. The museum was opened in 1921 in

umfangreiche Sammlung – 300 Flugzeuge,
500 Modelle, tausende technischer Objekte und
Kunstgegenstände sowie eine beeindruckende
Sammlung von Dokumenten und Fotografien –
wurde bereits seit 1918 zusammengetragen. Die
Gründung des Museums erfolgte nach dem Waffenstillstand, auf die Initiative von Albert Caquot,
einer großen Persönlichkeit der Luftfahrt und des
Ingenieurwesens in der Zwischenkriegszeit. Es
wurde 1921 in den Räumlichkeiten der militärischen Flugstation von Chalais-Meudon eingeweiht und zog ab 1975 allmählich nach Le
Bourget um, nach einem Zwischenaufenthalt in
den Gebäuden des Luftfahrtministeriums am Boulevard Victor in Paris. Seit 1987 sind die ältesten
Stücke im Flughafengebäude von Labro ausge-
stellt. Die Ausstellung ist chronologisch angeord-
net – von den Anfängen der Luftfahrt bis zum
Ersten Weltkrieg – und füllt die Halle, ohne sehr
große Rücksicht auf die historischen und räumlichen Qualitäten des 1937 entstandenen Gebäudes
zu nehmen.

Tatsächlich ist die Anerkennung der historischen und architektonischen Bedeutung des
Gebäudes noch relativ jung. Sein Schutz als Bau-
denkmal – es ist der einzige französische Flughafen aus dieser Epoche, der noch existiert – datiert
aus dem Jahr 1994 und betrifft nur das Flughafengebäude, ohne Einbeziehung irgendeines anderen Bauwerks, nicht einmal der Hangars von
Lossier aus den 20er Jahren. Natürlich ist die Tat-
sache, daß die Hangars immer noch für die Flie-
gerei genutzt werden die beste Garantie für ihre
Instandhaltung und ihr Überleben. Außerdem
sichert die ständige Nutzung der Start- und Landebahnen die Integrität des Fluggeländes. Aber
die Erfassung des Ganzen als kohärentes historisches
Ensemble, das nicht nur das Flughafengebäude,
die Hangars und das Flugfeld umfaßt, sondern

AÉROPORT DE PARIS-ORLY

1. Vers 1960 : la tour de contrôle panoramique date
de 1953, année où le Salon international de l'aéronautique s'est tenu pour la première fois au Bourget.

The terminal in the early 'sixties. The panoramic
control tower dates from 1953, the year of the first
international air show to be held at Le Bourget.

Der mittlere Teil des Empfangsgebäudes um 1960.
Der neue panoramatische Kontrollturm wurde
1953 errichtet, als der erste internationale Luftfahrtsalon in Le Bourget stattfand.

2. Orly, l'aérogare construite par l'équipe d'Henri
Vicariot aux Aéroports de Paris (ADP). Carte postale avec timbre-poste émis pour l'inauguration
du 24 février 1961.

Orly airport, the terminal building designed by
Henri Vicariot's team at Aéroports de Paris (ADP).
First day cover for the inauguration of the termi-
nal on 24 February 1961.

Das Empfangsgebäude von Orly, das von Henri
Vicariot und seinen Mitarbeitern innerhalb der
Aéroports de Paris (ADP) entworfen wurde.
Postkarte mit Stempel vom Eröffnungstag am
24. Februar 1961.

Voûte de la partie centrale de l'aérogare. À l'origine, les pavés de verre étaient ronds ; ceux-ci, carrés, datent de la reconstruction de l'aérogare.

The central part of the hall is lit from above by this roof of glass blocks. The original blocks were round; these square ones date from the post-war reconstruction of the terminal.

Gewölbe aus Glasbausteinen über dem Mittelteil der Empfangshalle. Die ursprünglichen runden Glasbausteine wurden beim Wiederaufbau durch quadratische ersetzt.

Trois statues par Armand Martial ornent l'entrée de l'aérogare depuis les années quarante. Elles évoquent les destinations desservies en Afrique, en Occident et en Extrême-Orient.

In the 'forties, the terminal entrance was decorated with three allegorical statues by the sculptor Armand Martial. They evoke destinations in Africa, in the Far East and in the Western World.

In den 1940er Jahren wurden an der Fassade der Stadtseite drei Statuen von Armand Martial angebracht. Es handelt sich dabei um Allegorien der von Le Bourget aus angeflogenen Zielen in Afrika, im Westen und im Fernen Osten.

Cité d'habitations à bon marché (HBM) réalisée par Germain Dorel entre 1933 et 1936, en face de l'aéroport, occupée notamment par des employés du site. Les passages voûtés sous les barres rappellent ceux du célèbre Karl-Marx Hof, construit à Vienne de 1927 à 1930 par Karl Ehn.

Opposite the airport this estate of low-cost housing, built to the designs of Germain Dorel from 1933 to 1936, offered accommodation to airport staff. The semi-circular passageways beneath each block are reminiscent of those of the famous Karl-Marx Hof, at Vienna, built by Karl Ehn from 1927 to 1930.

Die soziale Wohnsiedlung gegenüber dem Flughafen wurde von Germain Dorel zwischen 1933 und 1936 errichtet. Sie wurde unter anderem von Mitarbeitern des Flughafens bewohnt. Die gewölbten Durchgänge unter den Wohnblöcken erinnern an diejenigen des berühmten Karl-Marx-Hofes, den Karl Ehn zwischen 1927 und 1930 in Wien erbaute.

Labro est chargé de la reconstruction à l'identique du Bourget et de la restauration de son aérogare dévastée.

L'aviation commerciale reprend très rapidement après la guerre ; en 1953, date de l'édification d'une nouvelle tour de contrôle, Le Bourget voit passer plus de 600 000 passagers, atteignant les limites de ses capacités. À cette époque, le trafic est progressivement transféré à Orly, à une dizaine de kilomètres au sud de Paris : cet autre terrain d'aviation datant de la Première Guerre mondiale est promu nouvel aéroport de Paris. Cette aérogare – Orly sud aujourd'hui –, conçue et réalisée au sein de l'ADP par l'architecte Henri Vicariot et son équipe, est inaugurée par le général de Gaulle en 1961. Une autoroute directe, cette fois prévue d'emblée, la relie à la capitale.

Le Bourget aujourd'hui

Le Bourget conserve toutefois un trafic commercial jusqu'à l'ouverture d'un troisième aéroport, à Roissy, en 1977. Depuis cette date son exploitation aéronautique perdure sous d'autres formes : premier aéroport d'affaires européen par son trafic, il comporte, au nord, une zone d'entreprises et de services dédiée à l'aéronautique au sein de laquelle les cinq hangars Lossier sont utilisés par Air France pour l'entretien et la maintenance des avions. Tous les deux ans, au mois de juin, le secteur sud et les pistes accueillent le Salon international de l'aéronautique et de l'espace. Du côté de Dugny, une base de l'Aéronavale militaire et une base de l'armée de l'Air sont toujours présentes bien que leurs activités soient très réduites.

C'est dans l'aérogare de Labro et dans les hangars au sud de celle-ci que le musée de l'Air et de l'Espace est implanté. Ses très riches collections – 300 avions, 500 maquettes, des milliers d'objets techniques et d'objets d'art, un important fonds documentaire et photographique – ont été constituées dès 1918. Au lendemain de l'armistice, en effet, un conservatoire a été créé à l'initiative d'Albert Caquot, grande figure de l'aéronautique et du génie civil de l'entre-deux-guerres. Inauguré en 1921 dans les bâtiments de l'aérostation militaire de Chalais-Meudon, le musée est transféré au Bourget à partir de 1975, après une implantation éphémère dans les locaux du ministère de l'Air, boulevard Victor à Paris.

Depuis 1987, l'aérogare de Labro accueille les pièces les plus anciennes : leur présentation est chronologique, des débuts de l'aviation jusqu'à la fin de la guerre de 1914-1918 ; remplissant le vide du hall et privée de la lumière du jour, la muséographie montre peu d'égards envers l'histoire et les volumes de l'édifice de 1937.

En effet, la reconnaissance de la valeur historique et architecturale de cette aérogare est plus tardive. Sa protection juridique au titre des Monuments historiques – c'est la seule aérogare française de cette époque qui subsiste – date de juin 1994 et ne concerne que ce bâtiment, à l'exclusion de toute autre structure, et notamment des hangars Lossier des années vingt. Bien évidemment, le fait que ces hangars soient toujours utilisés par l'aviation est l'un des meilleurs garants de leur entretien et de leur sauvegarde. De même, l'usage continu de l'ensemble des pistes, sous la tutelle des Aéroports de Paris, assure l'intégrité du terrain en tant que paysage. Cependant, la compréhension de l'entité spatiale et historique que forment l'aérogare, les hangars et les pistes, au sein d'un environnement urbain qu'ils ont en grande partie généré, ne peut être que fragmentaire : l'ensemble est réparti sur le territoire de trois communes, morcelé entre différents propriétaires fonciers et utilisé par de nombreuses sociétés locataires. Le projet « Europe de l'air », dont le musée de l'Air et de l'Espace est partenaire, compte améliorer la lisibilité globale du site, ainsi que la connaissance détaillée de l'aérogare elle-même.
Avec l'objectif de développer les publics, la mise en œuvre du schéma directeur élaboré pour le musée en 1996 a commencé en 1997 par la rénovation de l'esplanade, prélude à la redistribution des collections : la valorisation de l'aérogare sera en effet facilitée par la restitution de sa fonction d'accueil, de services et, qui sait ? de départ en voyage.

Christelle Inizan
chargée d'études documentaires à la conservation régionale des Monuments historiques d'Île-de-France, avec la collaboration de
Bernard Rignault
directeur adjoint du musée de l'Air et de l'Espace

Derrière la grille décorative de 1937, l'aérogare vue depuis la route des Flandres.

The terminal seen from the *route des Flandres*, through the decorative railings which date from 1937.

Durch den schmiedeeisernen Zaun aus dem Jahre 1937 kann man von der Route des Flandres aus das Empfangsgebäude erkennen.

Volée de l'escalier d'honneur et détail de la balustrade, élément décoratif datant de 1937. La ferronnerie imitant des cordages renvoie au style « paquebot » retenu en particulier pour l'élévation donnant sur le terrain.

Detail of the main staircase in the terminal hall and of its hand rails, one of the original decorative elements dating from 1937. The metalwork imitates ropes, probably to harmonise with the ocean-liner style thought suitable for this air port terminal.

Ehrentreppe und Detail der Balustrade aus dem Jahre 1937. Das Seilmotiv erinnert an den Dampfer-Stil, der für dieses Flughafengebäude als passend angesehen wurde.

one of the buildings of the military airship services at Chalais-Meudon, near Paris. It was subsequently transferred to the premises of the Air Ministry before coming to Le Bourget in 1975. Since 1987 Labro's building has served as a setting for the oldest aircraft in the museum's collections, a chronological gallery presenting the history of aviation to the end of the First World War. The hall is entirely occupied by historic aeroplanes in a display that pays all too little attention to the spatial qualities of the 1937 terminal, the last of its generation to survive in France.

Only recently has the historical and architectural significance of this building been recognised. It was protected as a historic monument in June 1994 but this designation only covers the terminal. The Lossier hangars of 1922 are not protected, although of course the fact that they are still in use is one of the surest means of guaranteeing their preservation and upkeep. Similarly, the fact that the runways are still in regular use, under the control of ADP, guarantees the conservation of the airfield as a specifically aeronautical landscape. But the appreciation of the whole site as a coherent historic ensemble, including not only the terminal, the hangars and the flying field, but also the surrounding urban environment generated by the presence of the airport, is not easily achieved. The airport extends over the territories of three communes, belongs to several different landowners and is used by many different companies. The *Europe de l'air* project, in which the national air and space museum is a partner, hopes to make a contribution to the overall understanding of the airport. It will also contribute to a better historical and architectural evaluation of the terminal building itself. In order to increase visitor numbers, the museum recently launched a general redevelopment programme, which commenced in 1997 with the restoration of the esplanade. The rehabilitation of Labro's building will form part of this reorganisation of the museum. With the restoration of its original function as a place for welcoming the public, something of its original prestige will be recovered.

Christelle Inizan, *researcher at the Île-de-France historic monuments service, with the collaboration of* Bernard Rignault, *assistant director of the Musée de l'Air et de l'Espace*

auch die urbane Struktur der Umgebung, die zum größten Teil daraus hervorging, ist nicht einfach. Das Gelände befindet sich auf dem Gebiet dreier Kommunen, ist unter verschiedene Grundbesitzer aufgeteilt und wird von zahlreichen Gesellschaften genutzt. Das Projekt *L'Europe de l'air*, das in Partnerschaft mit dem Musée de l'Air et de l'Espace realisiert wird, soll zum umfassenden Verständnis des Flughafens sowie zur detaillierten Kenntnis des Empfangsgebäudes beitragen. Um das Publikumsinteresse zu verstärken, legte das Musée de l'Air 1996 ein Umstrukturierungsprogramm auf, das seit 1997 umgesetzt wird. Die Renovierung des Vorplatzes ist der Anfang, dem die Umverteilung der Sammlungen folgen wird. Das Flughafengebäude gewinnt durch die Wiederaufnahme seiner eigentlichen Funktion als Empfangsgebäude für das Publikum wieder an Prestige.

Christelle Inizan, *Dokumentationsabteilung des Denkmalamtes der Region Île-de-France, in Zusammenarbeit mit* Bernard Rignault, *stellvertretender Kurator des Musée de l'Air et de l'Espace*

Musée de l'Air et de l'Espace : un Blériot XI-2 construit en 1913 pour le pilote et parachutiste Adolphe Pégoud, suspendu au-dessus de l'escalier d'honneur.

Inside the museum: a 1913 Blériot XI-2, constructed for the pilot and parachute pioneer, Adolphe Pégoud, suspended above the main staircase.

Im Musée de l'Air et de l'Espace, über der Ehrentreppe, eine Blériot XI-2 aus dem Jahre 1913, die für den Piloten und Fallschirmspringer Adolphe Pégoud gebaut wurde.

L'aérogare et son esplanade en 1999 ; au premier plan, marquant l'entrée du musée, trois avions d'entraînement Fouga-Magister aux couleurs de la patrouille de France.

The terminal and esplanade in 1999: in the foreground, indicating the present-day entrance to the museum, three Fouga-Magister training jets bearing the colours of the "Patrouille de France".

Das Empfangsgebäude und der Vorplatz im Jahre 1999. Im Vordergrund, vor dem Eingang des Museums, drei Übungsflugzeuge vom Typ Fouga-Magister in den Farben der „Patrouille de France".

Bibliographie et sources
Bibliography and sources
Bibliographie und Quellen

BANHAM (Reyner), 'The Obsolescent Airport', *The Architectural Review,* vol. CXXXII, n° 788, October 1962, p. 250-253.

BURGE (Squadron-Leader C. G., ed.), *Encyclopaedia of Aviation,* London, Isaac Pitman & Sons Ltd, 1935.

CHADEAU (Emmanuel), *Le Rêve et la Puissance, l'avion et son siècle,* Paris, Fayard, 1996.

LE CORBUSIER, « Urbanisme et aéronautique », *Techniques et Architecture, Aéronautique,* nos 9-12, 1947, p. 463-467.

DOWER (John), 'Some Aerodromes in Germany and Holland', *Journal of the Royal Institute of British Architects,* vol. XXXVIII, n° 11, 4 April 1931, p. 352-362.

DUVAL (A.-B.), « Les Ports aériens », *L'Illustration,* 17 août 1929.

FORSYTH (Alastair), *Buildings for the Age, New Building Types 1900-1939,* London, Royal Commission on Historical Monuments (England), Her Majesty's Stationery Office, 1982.

MYERSCOUGH (John), 'Airport Provision in the Inter-War Years', *Journal of Contemporary History,* vol. XX, n° 1, January 1985, p. 41-70.

PETIT (Edmond), *La Vie quotidienne dans l'aviation en France au début du XXe siècle, 1900-1935,* Paris, Hachette, 1977.

ROYAL INSTITUTE OF BRITISH ARCHITECTS, *Airports and Airways 1937,* Catalogue to the exhibition arranged by the RIBA, London, RIBA, 1937.

TRANSPORTS EN COMMUN, DEUXIÈME SÉRIE, Aéroports, Paris, Éditions Albert Morancé, « Encyclopédie de l'Architecture », s. d. (1938).

WOOD (John Walter), *Airports: Some Elements of Design and Future Development,* New York, Coward-McCann Inc., 1940.

ZUKOWSKY (John, ed.), *Building for Air Travel, Architecture and Design for Commercial Aviation,* Munich and New York, Prestel, 1996.

BERLIN-TEMPELHOF

DRIESCHNER (Axel), *Der Flughafen Tempelhof von Ernst Sagebiel,* Magisterarbeit im Fachgebiet Kunstwissenschaft der Technischen Universität Berlin, Berlin, 1998 (unveröffentlichtes Manuskript).

„Flughafen-Wettbewerbe. München-Oberwiesenfeld, Hamburg, Berlin", *Baumeister,* 25. Jg. 1927, S. 1-31.

HANDRACK (Alexandra) und JOCKEIT (Werner), Büro für Architektur und Stadtgeschichte, *Flughafen Tempelhof. Erfassung und Bestandsaufnahme der Denkmalsubstanz,* Berlin, 1995 (unveröffentlichtes Manuskript).

NERDINGER (Winfried, Hrsg.), *Bauen im Nationalsozialismus, Bayern 1933-45,* München, 1993.

PIRATH (Carl, Hrsg.), *Flughäfen. Raumlage, Betrieb und Gestaltung,* Berlin, 1937 (Forschungsergebnisse des Verkehrswissenschaftlichen Instituts für Luftfahrt, Heft 11), S. 30-78.

PROVAN (John) and DAVIES (R. E. G.), *Berlin Airlift, The Effort and the Aircraft,* London, Paladwr Press, 1998.

SCHMITZ (Frank), *Flughafen Tempelhof. Berlins Tor zur Welt,* Berlin, be. bra, 1997.

SCHULITZ (Helmut) et AL. (Hrsg.), *Flugzeughallen,* Berlin, 1989 (Schriftenreihe des Instituts für Baukonstruktionen und Industriebau der TU Braunschweig, Bd. 1).

VÖLKER (Karl-Heinz), *Die deutsche Luftwaffe 1933-39. Aufbau, Führung und Rüstung der Luftwaffe sowie die Entwicklung der deutschen Luftkriegstheorie,* Stuttgart, 1967 (Schriftenreihe des Militärgeschichtlichen Forschungsamtes, Bd. 3).

„Der Weltflughafen Tempelhof. Ein Blick auf das Werden eines großen Werkes", *Monatshefte für Baukunst und Städtebau,* XXII. Jg. 1938, S. 81 ff.

LIVERPOOL-SPEKE

BUTLER (Philip), *An Illustrated History of Liverpool Airport,* Liverpool, The Merseyside Aviation Society, 1983.

FRANCIS (Paul) and TEMPLE (Julian), *New Guidelines for Listing Civil Airfield Buildings in England,* Unpublished report for English Heritage, 1994.

LEVRANT (Stephen) and HARPER (Gavin), *Speke Airport, Liverpool,* Unpublished listed building report for English Partnerships, 1997.

'Liverpool Airport at Speke', *Architectural record of Design and Construction,* November 1937, p. 507-508.

Municipal archives, Liverpool Record Office.

SMITH (David J.), *Action Stations 3. Military Airfields of Wales and the North-West,* Cambridge, Patrick Stephens Ltd, 1981.

PARIS-LE BOURGET

Aéroport Le Bourget, Paris, Imprimerie nationale, 1937.

BERGAY (Guy) et RENAUX (Dominique), *Histoire du Bourget,* Paris, Agence régionale d'édition pour les municipalités, 1980.

DUMONT (Marie-Jeanne), *L'Architecture de l'aéronautique en France 1900-1940,* rapport inédit pour l'Inventaire général des monuments et des richesses artistiques de la France, Paris, ministère de la Culture/CILAC, 1988.

DUPUY (René), *Le Grand Siècle du Bourget,* Paris, Éditions France-Empire, 1970.

GRANDCOUR (Charles-Clément), « La nouvelle aérogare du Bourget », *La Construction moderne,* 24 octobre 1937, p. 75-84.

HIRSCHAUER (L.), « L'aviation commerciale en 1921 », *L'Illustration,* 10 septembre 1921, p. 219-221.

ID., « Le Bourget, aérogare de Paris », *L'Illustration,* 13 décembre 1924, p. 583-584.

« Le port aérien du Bourget », *La Construction moderne,* 18 décembre 1927, p. 133-135.

MAOUI (Gérard) et NEIERTZ (Nicolas), *Entre ciel et terre, Aéroports de Paris, Paris,* Le Cherche-Midi Éditions, 1995.

MONCANY (Laurent), *Le Bourget, une page d'histoire de l'aviation marchande,* Paris, Club du beau livre de France, 1956.

Musée de l'Air et de l'Espace, dossiers documentaires « Le Bourget ».

Musée de l'Air et de l'Espace, service d'Action culturelle, *Paris-Le Bourget, Histoire d'un aéroport,* Paris, musée de l'Air et de l'Espace, 1997.

FRANCE

Direction de l'Architecture
et du Patrimoine,
ministère de la Culture
et de la Communication,
8, rue Vivienne
75003 Paris

Direction régionale des Affaires
culturelles, Île-de-France
98, rue de Charonne
75011 Paris

Musée de l'Air et de l'Espace,
aéroport du Bourget,
BP 173,
93352 Le Bourget Cedex

IFA, Institut Français d'Architecture,
6, rue de Tournon,
75006 Paris

CILAC (Comité d'Information et de
Liaison pour l'Archéologie, l'Étude et la
Mise en Valeur du Patrimoine industriel),
BP 251,
56007 Vannes Cedex

Fédération Aéronautique Internationale,
93, boulevard du Montparnasse,
75006 Paris

Service historique de l'armée de l'Air,
château de Vincennes,
94300 Vincennes

Aéroclub de France,
6, rue Galilée
75016 Paris

Musée régional de l'Air,
aérodrome d'Angers,
49140 Marcé

Musée de l'Histoire de l'hydraviation,
189, rue de l'Aéropostale
40600 Biscarosse

Musée de l'Aviation légère
de l'armée de Terre,
BP 354
Esalat
40107 Dax Cedex

Aéroports de Paris (ADP)
291, boulevard Raspail
75014 Paris

ENGLAND

English Heritage,
23 Savile Row
London W1X 1AB

Duxford Airfield (Imperial War
Museum),
Duxford Airfield,
Duxford, Cambridge, CB2 4QR

Royal Air Force Museum,
Grahame Park Way
Hendon, London NW9 5LL

The Science Museum,
Exhibition Road
London SW7 2DD

Brooklands Museum,
Brooklands Road,
Weybridge, Surrey KT13 0QN

Royal Air Force Museum Cosford,
Shifnal,
Shropshire TF11 8UP

Fleet Air Arm Museum,
Royal Naval Air Station Yeovilton,
Yeovil,
Somerset BA 22 8HT

Speke Garston Development Company
Mersey House
140 Speke Road
Garston, Liverpool
Merseyside L292PH

DEUTSCHLAND

Landesdenkmalamt Berlin,
Krausenstraße 38/39
D-10117 Berlin

Deutsches Technikmuseum Berlin,
Trebbiner Straße 9
D-10963 Berlin

Gesellschaft zur Bewahrung von Stätten
der deutschen Luftfahrtgeschichte e.V.,
Flughafen Berlin-Schönefeld
Postfach
D-12521 Berlin

Deutsches Architektur Museum,
Schaumainkai 43
60596 Frankfurt am Main

Berlin Brandenburg
Flughafen Holding GmbH
Abteilung Presse– und
Öffentlichkeitsarbeit
Flughafen Shönefeld
12521 Berlin

Adresses utiles

Useful Addresses

Nützliche Adressen

Le projet «Europe de l'air, architectures de l'aéronautique»

The "Europe de l'air, aviation architecture" project

Das projekt „Europe de l'air, Architektur der Luftfahrt"

Pour en savoir davantage, vous pouvez contacter les responsables nationaux du projet :

For further information, the project's national contacts are:

Wenn Sie mehr erfahren wollen, wenden Sie sich bitte an die Projektleiter:

France
PAUL SMITH, BERNARD TOULIER
Sous-direction des Études,
de la Documentation et de l'Inventaire,
Hôtel de Vigny
10, rue du Parc-Royal,
75003 Paris
bernard.toulier@culture.fr
paul.smith@culture.fr

England
Bob Hawkins
English Heritage
23 Savile Row
London, WIX 1AB
bob.hawkins@english-heritage.org.uk

Deutschland
GABI DOLFF-BONEKÄMPER,
Landesdenkmalamt,
Krausenstrasse 38/39,
D-10117 Berlin,
landesdenkmalamt@sensut.verwaltung-berlin.de

L'Europe de l'air

« L'Europe de l'air » est un projet soutenu par la Commission européenne dans le cadre de son programme Raphaël (1999-2001), qui contribue à la conservation, la sauvegarde et la mise en valeur du patrimoine culturel – notamment le patrimoine en péril – par la voie de la coopération européenne.

« L'Europe de l'air » réunit ainsi des spécialistes concernés par l'étude et la préservation des aéroports historiques. Les trois aéroports examinés dans le présent ouvrage ont été retenus comme sites pilotes pour une première action concertée. Datant tous les trois de la fin des années trente, époque à laquelle le programme aéroportuaire atteint une certaine maturité, ils soulèvent aujourd'hui les différentes questions d'un patrimoine commun, mais dans tous ses états. Pour un site désaffecté, comme celui de Speke, comment réussir la négociation entre des usages économiques nouveaux, non aéronautiques, et les valeurs architecturales et de témoignage historique des bâtiments et du terrain ? Pour un bâtiment devenu musée, comme au Bourget, comment redécouvrir les qualités architecturales d'origine derrière les objets exposés, et comment intégrer ce bâtiment à une compréhension d'ensemble du paysage historique de l'aéroport ? Pour un aéroport encore en activité, comme celui de Tempelhof, comment envisager sa fermeture programmée, et comment préserver, encore une fois, la cohérence urbaine de l'ensemble historique formé par l'aérogare, les hangars et le terrain ?

Au-delà de ces trois sites exceptionnels, analysés en profondeur et mis en valeur par des expositions et des publications, le projet cherche à faire connaître et apprécier d'autres vestiges bâtis de l'aventure aéronautique : les aéroports historiques d'autres pays européens, en premier lieu, mais aussi des bases aériennes militaires, des aéro-clubs, des hangars isolés... Au moyen d'ateliers internationaux annuels (le premier s'est tenu à Liverpool en octobre 1999), se construit un réseau de compétences européennes où sont échangées des expériences en matière d'inventaire, d'évaluation et de protection de l'architecture de l'aéronautique, touchant à la place de l'aéroport historique dans la ville du XXIe siècle et concernant les pratiques de conservation des ensembles aéroportuaires. Les actes de ces ateliers seront publiés et rendus accessibles sur le serveur Web du projet (http://www.culture.fr/europe-air/).

"L'Europe de l'air" is a cultural project supported by the European Commission's Raphael programme (1999-2001), which aims to encourage the conservation, safeguarding and enhancement of the cultural heritage— particularly if under threat—by means of European co-operation.

The project brings together specialists concerned by the study and preservation of historic aviation sites. The airports presented in this book have been chosen as pilot sites for the first concerted action on the theme. All three date from the late 'thirties, a period when the airport terminal had reached a certain maturity as a new building type. In their different circumstances today, all three also raise important heritage questions. For an airport which has been abandoned by aviation, such as Speke, how can the buildings and the flying field be adapted for new, non-aeronautical uses without losing their architectural and historic values? For a building such as the terminal at Le Bourget which has become a museum, how can the original architectural qualities be appreciated behind the objects diplayed and how can this building itself be integrated into a broader understanding of the airport's landscape? For an airport still in use, such as Tempelhof, how should its planned closure be prepared and what future can be imagined for it which will preserve, once again, the historic and urban coherence of the buildings and the flying field?

The Raphael project is contributing to a better understanding of these three exceptional sites and, by means of exhibitions and publications, will enable the general public to appreciate them too. But the project also aims to identify and study other historic aviation sites: the historic airports of other European countries, military airfields, flying clubs, isolated hangars... By means of annual international workshops (the first was held at Liverpool in October 1999), a network of skills relating to the conservation and promotion of this shared heritage is being set up. Experiences are exchanged on questions such as the assessment criteria for the preservation of civil and military aviation structures, the heritage and use values of airports in the city of the twenty-first century, and the historical and technical studies necessary for the conservation of airport ensembles. The proceedings of these workshops will be published and will also be available on the project's web site at http://www.culture.fr/europe-air/

„L'Europe de l'air – Europa der Lüfte" ist ein Projekt, das von der Europäischen Kommission im Rahmen de Programms Raphael unterstützt wird. Das Programm Raphael soll durch die Förderung europäischer Zusammenarbeit zur Erhaltung, zum Schutz und zur Vermittlung des Kulturerbes beitragen – insbesondere wenn dessen Bestand gefährdet ist.

So vereint das Projekt „Europa der Lüfte" Spezialisten, die sich mit der Erforschung und Erhaltung von histori-schen Flughäfen befassen. Die in diesem Buch untersuchten Flughäfen wurden als Pilotobjekte für eine erste gemeinsame Aktion ausgewählt. Alle drei datieren aus den späten 1930er Jahren, einer Periode, in der das Bauprogramm für Flughäfen bereits in gewissem Maße ausgereift war. Ein gemeinsames Erbe, das indes ganz verschiedene Fragen aufwirft. Für einen stillgelegten Standort wie Speke: Wie soll man die neuen ökonomischen Nutzungen, die nichts mit der Luftfahrt zu tun haben, mit dem architektonischen und dem Zeugniswert der Bauten und des Geländes vereinbaren? Für ein Bauwerk wie das Terminal von Le Bourget, das in ein Museum verwan-delt wurde: Wie soll man hinter den aus-gestellten Objekten die ursprünglichen architektonischen Qualitäten wieder auf-decken und wie kann man das Gebäude als Teil der historischen Flughafenland-schaft verständlich machen? Und schließlich für einen noch in Betrieb befindlichen Flughafen wie Tempelhof: Wie stellt man sich seiner vorgesehenen Schließung und wie kann auch hier die städtebauliche Kohärenz des historischen Ensembles aus Empfangsgebäude, Hangars und Flugfeld bewahrt werden?

Über diese drei besonderen Standorte hinaus, die gründlich analysiert und durch Ausstellungen und Publikationen vermittelt werden, soll das Projekt auch andere gebaute Zeugnisse des Abenteuers der Luftfahrt kennen und schätzen leh-ren: in erster Linie die historischen Flughäfen anderer europäischer Länder, aber auch Militärflugplätze, Aeroclubs, einzeln stehende Hangars... Mittels jähr-licher, internationaler Arbeitstreffen (das erste hat im Oktober 1999 in Liverpool stattgefunden) wird ein europaweites Netzwerk von Sachkundigen aufgebaut, das dem Austausch von Erfahrungen in den Bereichen Inventarisation, Bewertung und Schutz von Bauten der Luftfahrt dient. Dabei werden auch der Platz des historischen Flughafens in der Stadt des 21. Jahrhunderts und die praktische Konservierung von Flughafenensembles erörtert. Die Akten der Arbeitstreffen werden publiziert sowie über die Website des Projektes (http://www.culture.fr/europe-air/) zugänglich gemacht.

Crédits photographiques

Photographic credits

Fotonachweis

Éditions du patrimoine

Responsable
Director
Verantwortlich für die Herausgabe
Dominique Carré

Responsable adjointe
Assistant-Director
Stellvertretende Verantwortliche für die Herausgabe
Christine Richet

Coordination éditoriale
Editorial coordination
Koordinierung der Herausgabe
Alix Sallé

Traduction
Translation
Paul Smith
Übersetzung
Nadja Roer-Heron

Conception graphique et mise en page
Design and layout
Graphische Gestaltung
Atalante/Paris
Claude Gentiletti

Infographie
Computer graphics
Infografik
Pol Eger

Relecture – correction
Philippe Rollet
Proofreading – correction
Christopher Petch
Korrektur
Gabriele Lechner

Suivi de fabrication
Production coordination
Koordinierung der Herstellung
Carine Merse

Photogravure
Photoengraving
Klischeeausführung
Quattro, Cuincy

Impression
Printed by
Druck
Mame, Tours

Dépôt légal : mars 2000